Theodor Fontane

Mathilde Möhring

Nachwort
von Maria Lypp

Philipp Reclam jun. Stuttgart

Universal-Bibliothek Nr. 9487
Alle Rechte vorbehalten
© 1973, 2001 Philipp Reclam jun. GmbH & Co., Stuttgart
Durchgesehene Ausgabe 2001
auf der Grundlage der neuen amtlichen Rechtschreibregeln
Gesamtherstellung: Reclam, Ditzingen. Printed in Germany 2001
RECLAM und UNIVERSAL-BIBLIOTHEK sind eingetragene Marken
der Philipp Reclam jun. GmbH & Co., Stuttgart
ISBN 3-15-009487-9

www.reclam.de

Mathilde Möhring

Möhrings wohnten Georgenstraße 19 dicht an der Friedrichsstraße. Wirt war Rechnungsrat Schultze, der in der
Gründerzeit mit dreihundert Talern spekuliert und in zwei
Jahren ein Vermögen erworben hatte. Wenn er jetzt an seinem Ministerium vorüberging, sah er immer lächelnd hinauf
und sagte: »Gu'n Morgen, Exzellenz.« Gott, Exzellenz.
Wenn Exzellenz fiel, und alle Welt wunderte sich, dass er
noch nicht gefallen sei, so stand er, wie Schultze gern sagte,
vis-à-vis de rien, höchstens Oberpräsident in Danzig. Da
war er besser dran, er hatte fünf Häuser, und das in der
Georgenstraße war beinah schon ein Palais, vorn kleine Bal-
kone von Eisen mit Vergoldung. Was anscheinend fehlte, waren Keller und natürlich auch Kellerwohnungen, statt dessen
lagen kleine Läden, ein Vorkostladen, ein Barbier-, ein Opti-
kus- und ein Schirmladen in gleicher Höhe mit dem Straßen-
zug, wodurch die darüber gelegene Wirtswohnung jenen
à-deux-mains-Charakter so vieler neuer Berliner Häuser er-
hielt. War es Hochparterre oder war es eine Treppe hoch.
Auf Schultzes Karte stand: Georgenstraße 19 I, was jeder
gelten ließ mit Ausnahme Möhrings, die, je nachdem diese
Frage entschieden wurde, drei oder vier Treppen hoch
wohnten, was neben der gesellschaftlichen auch eine gewisse
praktische Bedeutung für sie hatte.

Möhrings waren nur zwei Personen, Mutter und Tochter;
der Vater, Buchhalter in einem Kleider-Exportgeschäft, war
schon sieben Jahre tot und war am Palmsonnabend gestorben, einen Tag vor Mathildens Einsegnung. Der Geistliche
hatte daraufhin eine Bemerkung gemacht, die bei Mutter und
Tochter noch fortlebte. Ebenso das letzte Wort, das Möhring
Vater an seine Tochter gerichtet hatte: »Mathilde, halte dich
propper.« Pastor Neuschmidt, dem es gesagt wurde, war der
Meinung, der Sterbende habe es moralisch gemeint, Schultzes, die auch davon gehört hatten und neben dem Geld- und

Rechnungsrat-Hochmut natürlich auch noch den Wirtshochmut hatten, bestritten dies aber und brachten das Wort einfach in Zusammenhang mit dem Kleider-Exportgeschäft, in dem sich der Gedankengang des Alten bewegt habe; es solle so viel heißen wie: »Kleider machen Leute.« 5

Damals waren Möhrings eben erst eingezogen, und Schultze sah den Tod des alten Möhring, der übrigens erst Mitte vierzig war, ungern. Als man den Sarg auf den Wagen setzte, stand er am Fenster und sagte zu seiner hinter ihm stehenden Frau: »Fatale Geschichte. Die Leute haben natürlich 10 nichts, und nu war vorgestern auch noch die Einsegnung. Ich will dir sagen, Emma, wie's kommt, sie werden vermieten, und weil es eine Studentengegend ist, so werden sie's an einen Studenten vermieten, und wenn wir dann mal spät nach Hause kommen, liegt er auf dem Flur, weil er die Treppe 15 nicht hat finden können. Ich bitte dich schon heute, erschrick nicht, wenn es vorkommt, und kriege nicht deinen Aufschrei.« Als Schultze diesen Satz geendet, fuhr draußen der Wagen fort.

Die Befürchtungen Schultzens erfüllten sich und auch 20 wieder nicht. Allerdings wurde Witwe Möhring eine Zimmervermieterin, ihre Tochter aber hatte scharfe Augen und viel Menschenkenntnis, und so nahmen [sie] nur Leute ins Haus, die einen soliden Eindruck machten. Selbst Schultze, der Kündigungsgedanken gehabt hatte, musste das nach Jahr 25 und Tag zugeben, bei welcher Gelegenheit er nicht unterließ, den Möhrings überhaupt ein glänzendes Zeugnis auszustellen. »Wenn ich bedenke, Buchhalter in einer Schneiderei, und die Frau kann doch auch höchstens eine Müllertochter sein, so ist es erstaunlich. Manierlich, bescheiden, gebildet. 30 Und das Mathildchen, es muss nu wohl siebzehn sein, immer fleißig und grüßt sehr artig. Ein sehr gebildetes Mädchen.«

Das war nun schon wieder sechs Jahr her, und Mathildchen war nun eine richtige Mathilde von dreiundzwanzig. 35

Das heißt, eine so ganz richtige Mathilde war sie doch nicht, dazu war sie zu hager und hatte einen grisen Teint. Und auch das aschblonde Haar, das sie hatte, passte nicht recht zu einer Mathilde. Nur das Umsichtige, das Fleißige, das Praktische, das passte zu dem Namen, den sie führte. Schultze hatte sie auch mal ein appetitliches Mädchen genannt. Dies war richtig, wenn er sie mit dem verglich, was ihm an Weiblichkeit am nächsten stand, enthielt aber doch ein bestimmtes Maß von Übertreibung. Mathilde hielt auf sich, das mit dem »propper« hatte sich ihr eingeprägt, aber sie war trotzdem nicht recht zum Anbeißen, was doch das eigentlich Appetitliche ist, sie war sauber, gut gekleidet und von energischem Ausdruck, aber ganz ohne Reiz. Mitunter war es, als ob sie das selber wisse, und dann kam ihr ein gewisses Misstrauen, nicht in ihre Klugheit und Vortrefflichkeit, aber in ihren Charme, und sie hätte dies Gefühl vielleicht großgezogen, wenn sie sich nicht in solchen kritischen Momenten eines unvergesslichen Vorgangs entsonnen hätte. Das war in Halensee gewesen an ihrem siebzehnten Geburtstag, den man mit einer unverheirateten Tante in Halensee gefeiert hatte. Sie hatte sich in einiger Entfernung von der Kegelbahn aufgestellt und sah immer das Bahnbrett hinunter, um zu sehn, wie viel Kegel die Kugel nehmen würde, da hörte sie ganz deutlich, dass einer der Kegelspieler sagte: »Sie hat ein Gemmengesicht.« Von diesem Worte lebte sie seitdem. Wenn sie sich vor den alten Stehspiegel stellte, dessen Mittellinie ihr grad über die Brust lief, stellte sie sich zuletzt immer en profil und fand dann das Wort des Halenseer Kegelschützen bestätigt. Und durfte es auch; sie hatte wirklich ein Gemmengesicht, und auf ihre Photographie hin hätte sich jeder in sie verlieben können, aber mit dem edlen Profil schloss [es] auch ab, die dünnen Lippen, das spärlich angeklebte, aschgraue Haar, das zu klein gebliebne Ohr, daran allerhand zu fehlen schien, alles nahm dem Ganzen jeden sinnlichen Zauber, und am nüchternsten wirkten die wasserblauen Augen. Sie hatten einen Glanz, aber einen ganz prosaischen, und wenn man früher von einem Silberblick sprach, so konnte man hier von einem Blechblick sprechen. Ihre Chancen auf Liebe waren nicht groß, wenn sich nicht jemand fand, dem das Profil über alles ging. Sie hatte deshalb auch den gebildeten Satz akzeptiert und operierte gern damit: »In der Kunst entscheidet die Reinheit der Linie.« Rechnungsrat Schultze hatte sich anfangs durch diesen Satz blenden lassen. Als er ihn aber nochmals gehört hatte, merkte er die Absicht und wurde verstimmt und sagte zu seiner Frau: »Ich bin mehr fürs Runde.« Das tat der Rechnungsrätin wohl, denn es war das Einzige, was sie hatte.

Zweites Kapitel

Die Sonne schien, und eine milde Luft ging, und jeder, der in die Georgenstraße einbog und die Bäume sah, die hier und da noch ihre vollbelaubten Zweige über einen Bretterzaun streckten, hätte auf Anfang September raten müssen, wenn nicht vor mehreren Häusern und auch vor dem Rechnungsrat Schultzeschen Hause ein großer Riesenwagen gestanden hätte mit einem Leinwandbehang und der Inschrift Möbel-Transport von Fiddichen, Mauerstraße 17. Die Seitenwände mehrerer auseinander genommener Bettstellen waren schräg an den Wagen gelegt, und auf dem Straßendamm stand ein Korb mit Küchengeschirr und an den Korb gelehnt ein Bild in Barockrahmen: hohes gepudertes Toupet und geblümtes Mieder, soweit sich davon sprechen ließ, denn das wichtigste Stück, soweit die Dezenz in Betracht kam, hatte der Maler zu malen unterlassen und der sich darin bergenden Natur freien Lauf gelassen. Alles in allem, es war Ziehzeit, also nicht Anfang September, sondern Anfang Oktober, Ziehzeit, wodurch die Georgenstraße sehr gewann; solchen Wagen und solch Porträt sah man in der Georgenstraße nicht alle Tage, weshalb etliche Menschen und eine ganze Anzahl Kinder den Wagen und das Bild umstanden.

Unter denen, die das Bild mit Interesse musterten, war auch ein junger Mann von etwa sechsundzwanzig. Sein Alter zu bestimmen war nicht leicht, weil zwischen dem Ausdruck seines Gesichts und seinem schwarzen Vollbart ein Missverhältnis war, der Ausdruck war jugendlich, der Bart plädierte für Mann in besten Jahren. Aber der Bart hatte Unrecht, er war erst sechsundzwanzig, etwas über mittelgroß, breitschultrig, Figur und Bart nach ein Mann und überhaupt so recht das, was gewöhnliche Menschen einen schönen Mann nennen. Er hätte sich sehen lassen können.

Als er mit seiner Musterung des Bildes fertig war, nahm er seine eigentliche Aufgabe wieder auf und begann über den Straßendamm weg die an der andern Straßenseite stehenden Häuser zu mustern. Er war nämlich auf der Wohnungssuche. Die Götter waren mit ihm, und kaum dass sich sein Blick auf das Haus gegenüber gerichtet hatte, so las er auch schon an einem über der Haustür angebrachten Zettel: »Drei Treppen hoch links ein elegant möbliertes Zimmer zu vermieten.« Er nickte, wie wenn er zu sich selbst sagte: »Scheint mir; hier will ich Hütten baun.« Und gleich danach ging er über den Damm und stieg die drei Treppen hinauf; oben angekommen, war er ein wenig unwirsch, dass es eigentlich vier waren. Er klingelte und hatte nicht lange zu warten; Frau Möhring öffnete.

»Ist es bei Ihnen?«

»Wegen des Zimmers? Ja, das ist hier. Wenn Sie sich's ansehen wollen …«

»Ich bitte darum.«

Und nun trat Frau Möhring in ein einfenstriges Mittelzimmer zurück, das als Entree für rechts und links diente und drin nichts stand als ein einreihig besetzter Bücherschrank mit einem Vogelbauer darauf. Der im Sommer gestorbne Zeisig war noch nicht wieder ersetzt worden. Sonst nur noch zwei Stühle und ein weißer Leinwandstreifen als Läufer und am Fenster eine Aralia mit einer kleinen Gießkanne daneben. Alles dürftig, aber sehr sauber. Und nun öffnete Frau Möhring die Tür, die rechts nach dem zu vermietenden Zimmer führte. Hierher hatten sich alle Anstrengungen konzentriert: ein etwas eingesessenes Sofa mit rotem Plüschüberzug und ohne Antimakassar, Visitenkartenschale, der Große Kurfürst bei Fehrbellin und das Bett von schwarz gebeiztem Holz mit einer aus Seidenstückchen zusammengenähten Steppdecke. Die Wasserkaraffe auf einem großen Glasteller, sodass es immer klapperte.

Der schöne Mann mit dem Vollbart sah sich um, und wahrnehmend, dass die beiden Dinge fehlten, gegen die er eine tiefe Aversion hatte, Öldruckbilder und Antimakassars, war er sofort geneigt zu mieten, vorausgesetzt, dass er Aussicht hatte, für seine kleinen Bequemlichkeiten seitens der Wirtin gesorgt zu sehn. Gegen den bescheiden bemessenen Preis hatte er keine Einwendungen zu erheben, Portierfrage, Hausschlüssel, alles war geregelt, und er frug eben nach dem Hausschlüssel, als Mathilde Möhring vom Entree her eintrat. »Meine Tochter«, sagte Frau Möhring, und Mathilde und der schöne Mann begrüßten sich und musterten einander, sie eindringlich, er oberflächlich.

»Ich nehme an, dass ich die Kleinigkeiten, die man so braucht, ohne viel Umstände zu machen, haben kann: Frühstück, Kaffee und mal ein Ei, Tee, Sodawasser, ich brauche viel Sodawasser und dem Ähnliches.«

Mathilde, die wie selbstverständlich das Wort nahm, versicherte, dass man das alles im Hause habe und dass von Umstände keine Rede sein könne. So was gehöre ja wie mit dazu, das Haus sei ruhig und anständig, ohne Musik, der Wirt, ein sehr liebenswürdiger Herr, nähme keinen ins Haus, der Klavier spiele.

»Das trifft sich gut«, lächelte der mit dem Vollbart. »Nun, im Laufe des Tages komme ich noch mit heran und bringe Ihnen bestimmten Bescheid.«

Und bei diesen Worten nahm er wieder seinen breitkrempigen Hut aus weichem Filz und empfahl sich von Mutter und Tochter.

Mathilde begleitete ihn bis an die Flurtür. Als sie wieder zurückkam, hatte sich die Mutter auf das Plüschsofa gesetzt, was sie für gewöhnlich ungern tat, und strich über ein kleines seidnes Rollkissen hin, drauf gelbe Sterne aufgenäht waren.

»Nun, Thilde, was meinst du. Die Stube steht nu schon seit den Ferien leer. Es wird Zeit, dass wir einen Mieter finden. Er will sich noch besinnen und uns dann einen bestimmten Bescheid bringen. Das ist so Rückzug; das sagen alle die, die nicht wiederkommen wollen.«

»Der kommt wieder.«

»Ja, Thilde, woher weißt du das? Dann hätte er doch gleich mieten können.«

»Freilich. Das hätt er gekonnt, aber so einer sagt nie gleich ja, der besinnt sich immer. Das heißt, eigentlich besinnt er sich nicht, er schiebt nur so bloß ein bisschen raus, gleich ja oder nein sagen, das können nicht viele, und der schon gewiss nicht.«

»Gott, Thilde, du sagst das alles so hin wie 's Evangelium und weißt doch eigentlich gar nichts.«

»Nein, alles weiß ich nicht, aber manches weiß ich. Und wenn ich sage: ›Mutter, so und so‹, dann ist es auch so. Der kommt wieder.«

»Ja, Kind, warum soll er wiederkommen?«

»Weil er bequem ist, weil er keinen Muck hat, weil er ein Schlappier ist.«

»Ach, Thilde, sage doch nur nicht immer so was. Du hast so viele Wörter, die du nicht in den Mund nehmen solltest.«

»Ja, Mutter, warum nicht?«

»Weil es dir den Ruf verdirbt.«

»Ach, was Ruf. Mein Ruf ist ganz gut und muss auch; ich weiß, wo Bartel Most holt, und weil ich's weiß, pass ich auf. Ich passe ganz schmählich auf. Mir soll keiner kommen. Und was die paar Redensarten sind, na, Mutter, die lass man ruhig. Da halt ich mich dran fest, die tuen mir wohl, und wenn ich so höre, dass einer immer so fromm und faul drum rumgeht, da wird mir ganz schlimm.«

»Ganz schlimm. Das ist nun auch wieder so. Na, rede, wie du willst, ändern kann ich dich doch nicht, du hast immer deinen Willen gehabt von klein an, und Vater hat immer gesagt: ›Lass man; die wird gut, die frisst sich durch.‹ Ja, das hat er gesagt, aber wenn es man wahr ist. Und warum hat er denn keinen Muck? Ich meine den Herrn, von dem du sagst, er wird schon wiederkommen. Und warum wird er denn wiederkommen?«

»Du siehst auch gar nichts, Mutter. Hast du denn nicht seine Augen sehn? Und den schwarzen Vollbart und or'ntlich ein bisschen kraus. So viel musst du doch wissen, mit solchen ist nie was los. Ich will dir was sagen, so ganz hat es ihm nicht gefallen, aber es hat ihm auch nicht missfallen, und weil Wohnungssuchen und Treppensteigen langweilig ist und einem Mühe macht, so denkt er bei sich: Gott, eine Wohnung ist wie die andre. Und ruhig ist es und kein Klavier da und die bunte Steppdecke ... warum soll ich da nicht mieten. Und ich will dir auch sagen, wie er nun seine Zeit hinbringt, von Suchen und Sichumtun ist keine Rede, dazu ist er viel zu bequem. Er ist nu hier rübergegangen nach dem Bahnhof, da isst er ein deutsches Beefsteak oder vielleicht auch bloß eine Jauersche und trinkt ein Kulmbacher. Und dann geht er noch in Café Bauer, und wenn ihm das schon zu unbequem ist, denn er geniert sich nicht gern und sitzt nicht gerne grade, was man da doch muss, dann geht er nach den Zelten und trinkt seinen Kaffee und sieht zu, wie sie Skat spielen oder Schach, und lacht so ganz still vor sich hin, wenn ein reicher Budiker mit seinem Wagen vorfährt und seinem Pferd ein Seidel geben lässt. Und wenn er damit fertig ist, dann schlendert er so durch den Tiergarten hin bis an den Schiffbauerdamm ran, und dann kommt er über die Brücke und steigt die drei Treppen rauf und mietet. Ich will keinen Zeisig mehr im Bauer haben, wenn es nicht so kommt, wie ich sage.«

Mathilde behielt Recht. Ob der Mann mit dem Vollbart in den Zelten gewesen war, entzieht sich der Feststellung, aber so viel steht fest, dass er zwischen fünf und sechs wieder oben bei Möhrings war und mietete.

»Meine Sachen stehen noch auf dem Bahnhof hier drüben. Hier ist meine Karte. Sie können vielleicht jemand rüberschicken und sagen lassen, dass ein Kofferträger oder ein Dienstmann sie rüberbringt. Ich will noch einen Freund besuchen, und wenn ich wiederkomme, hoff ich alles vorzufinden.«

Frau Möhring versprach alles. Als er fort [war], sagte Mathilde: »Siehst du, Mutter. Wer hat Recht? Du wirst auch noch hören, dass er in den Zelten war.«

Drittes Kapitel

Die Sachen kamen, ein Koffer und eine große Kiste, und als Mutter und Tochter die Kiste bis dicht ans Fenster geschoben, den Koffer aber auf einen Kofferständer gestellt hatten, zogen sie sich in ihr an der linken Seite des Entrees gelegenes Wohnzimmer zurück. Es sah sehr ordentlich darin aus und auch nicht ärmlich. Vor dem hochlehnigen Kissensofa lag ein Teppich, Rosenmuster, und neben dem Stehspiegel mit dem Riss in der Mitte standen zwei Ständer, in die Blumentöpfe, ein roter und ein weißer Geranium, gesetzt waren. Auf einem Mahagonischrank stand ein Makart-Bouquet, neben dem Schrank eine Hänge-Etagere mit einer geschweiften Perlenstickerei. Der weiße Ofen war blank, die Messingtür noch blanker, und zwischen Ofen und Tür an einer Längswand, dem invaliden Sofa gegenüber, stand eine Chaiselongue, die vor kurzem erst auf der Auktion eines kleinen

Gesandten erstanden war und nun das Schmuckstück der Wohnung bildete. Daneben ein ganz kleiner Tisch mit einer Pendeluhr darauf, die einen merkwürdig lauten Schlag hatte.

Mathilde stellte sich vor den Spiegel, um sich den Scheitel etwas glattzustreichen, denn ihr Haar war sehr dünn und hatte eine Neigung, sich in Streifen zu teilen, Mutter Möhring aber setzte sich auf das Sofa, grad aufrecht, und sah nach der Wand gegenüber, wo ein Pifferaro auf einem Felsen saß und, seinen Dudelsack blasend, einfältig und glücklich in die Welt sah. Mathilde sah im Spiegel, wie die Mutter so steif und aufrecht dasaß, und sagte, ohne sich umzudrehn: »Warum sitzt du nu wieder auf dem harten Sofa und kannst dich nicht anlehnen. Wozu haben wir denn die Chaiselongue?«

»Na, doch nicht d a zu.«

»Freilich dazu. Freilich, und war noch dazu gar kein Geld. Und nu denkst du gleich, du ruinierst es und sitzt ein Loch hinein. Ich hab es mir gespart und habe mich gefreut, als ich dir's aufbaun konnte.«

»Ja, ja, Thilde, du meinst es gut.«

»Und Rückenschmerzen hast du immer und klagst in einem fort. Und doch willst du nicht drauf liegen. Und wenn du noch Recht hättest. Aber es ruiniert nicht, und wovon sollt es auch, du wiegst ja keine hundert Pfund.«

»Doch, Thilde, doch.«

»Und wenn auch; je eher das Ding eine kleine Sitzkute hat, desto besser; so steht es bloß da wie geliehn und als graulten wir uns, uns draufzusetzen. Und so schlimm ist es doch nicht, wir haben ja doch unser Auskommen und bezahlen unsre Miete mit 'm Glockenschlag. Also warum machst du dir's nicht bequem. Und dann sieht es auch besser aus, wenn man so sieht, es ist in Dienst. Der Spiegel ist alt, und das Sofa ist alt, und da darf die Chaiselongue nicht so neu sein. Das passt nicht, das stört, das ist gegen 's Ensemble.«

»Gott, Thilde, sage nur nicht so was Französ'ches; ich weiß dann immer nicht recht. Zu meiner Zeit, da war das alles noch nicht so, und mein Vater wollte von Schule nichts wissen. Na, du weißt ja. Wohin man kuckt, immer hapert es. Sieh mal hier seine Karte. Hugo Großmann. Na, das versteh ich, aber nu kommt sein Titel oder was er ist, und da weiß ich nicht, was soll das heißen Cand. jur.?«

»Das heißt, dass er Kandidat ist.«

»Soso, na, das ist gut, dann ist es ein Prediger oder wird einer.«

»Nein, dieser nicht. Dieser is bloß ein Rechtskandidat. Das heißt so viel als wie, er hat ausstudiert und muss nun sein Examen machen, und wenn er das gemacht hat, dann ist er ein Referendarius. Er ticktackt jetzt so hin und her zwischen Student und Referendarius.«

»Na, wenn er nur bleibt. Glaubst du, dass er bleibt?«

»Natürlich bleibt er.«

»Ja, du bist immer so sicher, Thilde. Woraus willst du wissen, dass er bleibt?«

»Ach, Mutter, du siehst auch gar nichts. Wo der mal sitzt, da sitzt er. Der ist bequem. Und eh der wieder auszieht, da muss es schon schlimm kommen. Und schlimm kommt es bei uns nicht. Wir sind artig und manierlich und immer gefällig und laufen alle Gänge und sehen bloß, was wir sehen wollen.«

»Glaubst du, dass er …«

»I, Gott bewahre. Der is wie Gold. Mit dem kann man drei Tage und drei Nächte fahren. Einen so Anständigen haben wir noch gar nicht gehabt. Und dann musst du bedenken, er is vorm Examen, und wir haben kein Klavierspiel. Auf dem Hof das bisschen Leierkasten, das hört er nicht. Und ich will dir noch mehr sagen, Mutter; der bleibt nicht bloß, der bleibt auch lange. Denn sehr anstrengen wird er sich nicht. Er sieht so recht aus wie ›Kommst du heute nicht, so kommst du morgen‹. Und vielleicht morgen auch noch nicht.«

Hugo Großmann, der noch keine Schlüssel hatte, war drei Minuten vor zehn nach Hause gekommen und [hatte] für alles, was ihm noch angeboten wurde, gedankt; er sei sehr müde, vorige Nacht unterwegs, und sei auch noch so viel andres. Mutter Möhring, die sich noch einen Augenblick im Entree zu schaffen machte, hörte noch, dass er das Streichhölzchen strich, und sah den Lichtschimmer, der gleich danach unter der Tür weg bis in das Entree fiel. Dann hörte sie, dass er sich die Stiefel mit einem raschen Ruck auszog, wie einer, der schnell ins Bett will, und keine Minute mehr, so war es wieder dunkel.

Der nächste Tag war so schön wie der vorige. Möhrings waren Frühaufs, und heute waren sie schon um sechs auf, weil sie doch nicht wissen konnten, ob ihr Mieter nicht ein Frühauf sei.

»Ich glaube nicht, dass er ein Frühauf ist«, sagte Mathilde, »aber man kann doch nicht wissen. Und in der ersten Nacht schlafen viele so unruhig.«

Es war wohl schon acht, als Mathilde das aussprach und hinzusetzte: »Du sollst sehn, Mutter, der hat einen Bärenschlaf. Um den brauchst du dir die Nacht nicht um die Ohren zu schlagen, und von Weckeraufziehn is nu schon gar keine Rede mehr. Na, mir recht. Wenn erst Winter ist, schlaf ich auch gern aus und warte lieber mit meinem Kaffee. Bloß, dass man um acht die ausgesuchten Semmeln kriegt.«

Unter diesen Worten stand sie auf und sah nach der kleinen Pendeluhr. Es war schon ein paar Minuten über halb neun. »Mutter, ich werde doch wohl klopfen müssen. Ich hatte ihn so auf neun Stunden taxiert, aber nun ist es schon zehn und eine halbe. Was meinst du?«

»Versteht sich; es kann ihm ja auch was passiert sein.«

»Gewiss, kann. Aber es wird wohl nicht.«

Um ein Uhr trat der neue Mieter bei Möhrings ein und sagte, dass er nun zu Tisch wolle; sie brauchten sich in seinem Zimmer nicht zu übereilen, er werde vor sieben nicht wieder da sein. Und wenn wer käme, möchten sie sagen, »um acht«. Damit empfahl er sich sehr artig, und als er aus dem Hause trat, sahen ihm Mutter und Tochter vom Entreefenster aus nach.

Als sie das Fenster wieder geschlossen hatten, sagte die Mutter: »Es ist eigentlich ein sehr hübscher Mensch. Ich wundre mich nur, dass er noch so ein halber Student ist. Am Ende irrst du dich doch, Thilde. Er muss doch nah an dreißig sein.«

»Ja, du hast Recht, Mutter, er sieht so aus. Das macht der schwarze Vollbart, und weil er so breit ist. Aber glaube mir, er ist nicht älter als sechsundzwanzig. Und der Vollbart ist es auch nicht mal. Er ist bloß faul und hat kein Feuer im Leibe. Das sieht denn so aus, als ob einer alt wäre, bloß weil er schläfrig ist. Und sentimental ist er auch.«

»Ja, das wird er wohl«, sagte die alte Möhring, aber doch so, dass man hören konnte, sie dachte sich nichts bei »sentimental« und wollte bloß nicht widersprechen.

Eine Stunde später hatte Mathilde das Zimmer zurechtgemacht, während die Mutter sich in der Küche beschäftigte. Man war übereingekommen, sich jeder ein Setzei zu spendieren, dazu Bratkartoffeln. Als der Tisch gedeckt und zu den Bratkartoffeln ein Extra von zwei Setzeiern aufgetragen war, war auch die Tochter mit dem Zurechtmachen des Zimmers fertig, und Mutter und Tochter setzten sich.

»Bist du zufrieden, Thilde?«, sagte die Alte und wies auf zwei Setzeier, die sie zu Ehren des Tages spendiert hatte.

»Ja«, sagte Thilde, »ich bin zufrieden, wenn du sie beide isst und wenn ich sehe, dass sie dir schmecken. Denn du gönnst dir nie was, und davon magerst du auch so ab. Kartoffeln ist was Gutes, aber viel Kraft gibt es nicht. So ängstlich is es ja auch gar nicht mit uns, wir haben ja das Sparkassenbuch. Ich werde dich nun wieder besser verpflegen, und wenn wir gegessen haben, gieße ich dir eine Tasse Tee auf. Er hat nicht mal seinen Zucker verbraucht und auch nicht weggepackt. Man sieht an allem, dass er ein anständiger Mensch.

17

Aber nun nimm, Mutter.« Und sie legte der Alten vor und patschelte ihr die Hand.

»Ja, du bist gut, Thilde. Wenn du nur einen guten Mann kriegtest.«

»Ach, lass doch.«

»Ich denke immer daran. Und warum auch nicht? Wie du da vorhin vor dem Spiegel standst: von der Seite bist du ganz hübsch.«

»Ach lass doch, Mutter. Das mit dem Gemmengesicht mag ja wahr sein, und ich glaube selbst, dass es wahr ist. Aber ich kann doch nicht immer von der Seite stehn.«

»Brauchst du auch nicht. Und dann am Ende, du hast die gute Schule gehabt und die guten Zeugnisse, un wenn dein Vater länger gelebt hätte, wärst du jetzt Lehrerin, wie du's wolltest. Manche sind so sehr fürs Gebildete. Wie hast du's denn drüben bei ihm gefunden? Alles in Ordnung? alles anständig? Ein ganz Armer kann es nicht sein. Ein ganzlederner Koffer beinah ohne Holz und Pappe; das haben immer bloß solche, die guter Leute Kind sind.«

»Ganz recht, Mutter, das stimmt. Da sind wir mal einig. Und so ist es auch mit ihm. Guter Leute Kind. Auf der Kommode lagen noch die Schnupftücher und die wollenen Strümpfe. Nun, du musst es dir nachher ansehn, alle ganz gleich gezeichnet und auch die Strümpfe und nicht mit Wolle gezeichnet, alle mit rotem Zeichengarn. Er muss eine sehr ordentliche Mutter haben oder Schwester, denn ein andrer macht es nicht so genau. Und die Stiefel auch in Ordnung. Er muss aus einer guten Ledergegend sein, das sieht man an allem, und hat auch eine Juchtenbriefmappe, schön gepresst, ich rieche Juchten so gern. Und die Bücher alle sehr gut eingebunden, fast zu gut, und sehen auch alle so sonntäglich aus, als ob sie nicht viel gebraucht wären, nur sein Schiller steckt voller Lesezeichen und Eselsohren. Du glaubst gar nicht, was er da alles hineingelegt hat, Briefmarkenränder und Zwirnsfaden und abgerissene Kalenderblätter. Und dann hat er englische Bücher dastehn, das heißt übersetzte, die muss er noch mehr gelesen haben, da sind so viele Ausrufungszeichen und Kaffeeflecke, und an mancher Stelle steht ›famos‹ oder ›großartig‹ oder irgend so was. Aber nu werde ich dir den Tee aufbrühen. Du hast doch noch kochend Wasser?«

»Versteht sich, kochend Wasser is immer …«

Und damit ging Thilde und kam nach einer Minute mit einem Tablett zurück. Es war dasselbe Tablett und dieselbe Teekanne, daraus der Mieter seinen Morgentee genossen hatte.

»Das ist ein rechtes Glück, dass er Tee trinkt«, sagte Thilde und goss der Mutter und dann sich selbst eine Tasse von dem Neuaufguss ein. »Kaffee, das schmeckt dann immer nach Trichter. Aber von Tee schmeckt das Zweite eigentlich am besten.« Und während sie das sagte, zerbrach sie zwei Zuckerstückchen in viele kleine Teile und schob das Schälchen der Mutter hin.

»Nimm doch auch, Thilde.«

»Nein, Mutter. Ich mag nicht Zucker. Aber du bist für süß. Und nimm nur immer ein bisschen in den Mund. Ich freue mich, wenn es dir schmeckt und wenn du wieder dick und fett wirst.«

»Ja«, lachte die Alte. »Du meinst es gut. Aber dick und fett. Gott, Thilde, wo soll das herkommen?«

Viertes Kapitel

Um sieben war Hugo Großmann zurück. Er traf Thilde im Entree. »War wer da, Fräulein?«

»Ja, ein Herr. Er kam um die fünfte Stunde. Und ich sagte ihm, dass Sie um acht wieder da sein wollten. Da wollt er wiederkommen.«

»Gut. Und hat er nicht seinen Namen gesagt?«

»Ja doch. Von Rybinski, glaub ich.«

»Ah, Rybinski. Nun, das ist gut.«

Und acht war kaum vorüber, so klingelte es auch, und Rybinski war wieder da und wurde hineingeführt.

»Guten Tag, Großmann.«

»Tag, Rybinski. Bedaure, dass du mich verfehltest. Aber nimm Platz. Nachmittags bin ich immer unterwegs.«

»Weiß«, sagte Rybinski und schob einen Stuhl an das Sofa. »Käpernick! Wird denn diese Dauerläuferei nicht mal ein Ende nehmen? Passt doch eigentlich nicht zu dir. Du hast entschieden mehr vom Siebenschläfer als vom Landbriefträger. Also warum pendelst du zwischen Grunewald und Wilmersdorf immer hin und her? Oder hast du jetzt eine andre Pendelbewegung?«

»Muss sich erst herausstellen, Freund. Ich bin ja erst gute vierundzwanzig Stunden hier, gestern früh angekommen, hier drüben Friedrichstraße. Gott sei Dank, dass ich wieder da bin, und auch wieder nicht. Owinsk ist ein Nest, natürlich, und wenn man aufgestanden ist, kann man auch schon wieder zu Bette gehn, und dazu die ewige Klagerei von Mutter und Schwester und keine Spur Verständnis für ein Buch oder ein Bild, und wenn ein Tanzbär auf den Markt kommt, dann ist es, als ob die Wolter gastierte ... Na, das alles is nicht grade mein Geschmack. Aber ein Gutes hat solch Nest doch, man hat Muße, man kann seinen paar Gedanken nachhängen, wenn man welche hat, und die Büffelei hat ein Ende. Ach, Rybinski, das geht nun wieder los. Wie steht es denn mit dir? Wenn ich dich so ansehe mit deiner Polenmütze, nimm mir nicht übel, es sieht so 'n bisschen theaterhaft aus, und deinen Stiefeln über der Hose — du siehst mir auch nicht aus, als kommst du recte vom Repetitorium.«

»Welche feine Fühlung du hast, Großmann. Recte vom Repetitorium; nein. Aber was von recte ist auch dabei; recte vom Galgen ...«

»Wie Roller?«

Rybinski nickte.

»Ach, mache keinen Unsinn, Rybinski. Was meinst du?«

»Was ich meine, davon später. Erzähle mir erst ein Wort
von dir und von den Owinskern. Hast du zufällig meinen
Onkel gesehn? Er kommt ja dann und wann in die Stadt, bei
Pferdemarkt oder wenn er Geld braucht. Auf meinen letzten
Brief hat er nicht geantwortet; es wird wohl grade Ebbe bei
ihm gewesen sein. Und dein Vater? Woran starb er denn eigentlich? Er kann ja noch keine Sechzig gewesen sein. Und
wie steht es mit dem Vermögen? Es hieß immer, er hätte
was.«

»Ja, so heißt es immer, und wenn Gott den Schaden besieht, ist nichts da. Da war eine Kiste, so eine Art Arnheim,
in seinem Bureau, die wir immer mit Respekt betrachteten,
weil wir uns alle sagten, da liegt es drin. Und nun denke dir,
was wir nachher gefunden haben.«

»Nun, die Hälfte.«

»Ja, proste Mahlzeit; eine Zereviskappe, ein Kommers-
buch und ein Paar hohe Jagdstiefeln, gelbes Leder, genau wie
wenn er sie von Wallenstein hätte.«

»War er denn ein Nimrod …? Übrigens könntest du mir
erst eine Zigarre geben. Ich sah da eine kleine Kiste; sie ent-
täuscht mich hoffentlich nicht so wie dich die große Erbkis-
te. Ja, war er denn solch Jäger vor dem Herrn?«

»I Gott bewahre. Dazu war er viel zu bequem und fror immer. Er wird wohl, als er eben Burgemeister geworden war,
mal eine Jagd mitgemacht haben, aber als ich so 'n halb-
wachsner Junge war, so kurz vorher, eh wir nach Inowroclaw aufs Gymnasium kamen, fuhr er immer bloß raus,
das Getafle beim Oberförster oder beim Amtsrat losging.
Und einmal war es beim Torf-Inspektor, das weiß ich noch
genau.«

»Und dabei war dein Vater doch eigentlich ein famoser
Knopp.«

»Ja, das war er.«

»Eigentlich forscher als du.«

»Na, wie man's nehmen will. So im meisten sind wir uns gleich. Fürs Repetieren war er auch nie. Darin mögen wir uns wohl gleich sein, und als er den Referendarius hinter sich hatte, schnappte er ab und sagte: ›Zweimal fall ich durch und denn Assessor mit Ach und Krach und 800 Taler. Nein, da lieber Burgemeister in Owinsk.‹ Und verlobt war er ja auch schon lange.«

»Ja sieh, Hugo, das ist eben, was ich das Forsche nenne. Es war doch ein Entschluss, und seine Familie war doch gewiss dagegen und wollte einen Minister aus ihm backen. Unterm Minister tun's die guten Kleinstädter nicht, die bei der bekannten Glücksjagd, zu der wir uns alle geladen glauben, bloß den Kirchturm mit dem goldnen Hahn sehn und nicht wissen, wie weit es ist und wie viel Gräben unterwegs, um reinzufallen. Ich bin für die, die abspringen.«

»Du meinst so im Allgemeinen, so theoretisch.«

»Nein, ganz praktisch. Du musst mir eine Photographie von deinem Vater schenken; den seh ich mir dann an, so vorbildlich.«

»Aber Hans, du willst doch nicht auch Burgemeister werden. Und bist ja auch noch v o r m Referendar; mein Vater hatte doch die halbe Quälerei hinter sich. Sie nehmen jetzt nicht all und jeden, und Referendar ist das Wenigste. Und du siehst mir nicht aus, als ob du in meiner Abwesenheit und sozusagen hinter meinem Rücken den Referendar gemacht hättest und nun bloß kämst, um dich mir in deiner neuen Würde vorzustellen. Aber verzeih, ich werd uns drüben erst ein bisschen Abendbrot bestellen, was man in einer Chambre garnie so Abendbrot nennt. Ein Glück, dass die Menschen den Schweizerkäse erfunden haben. Und soll ich Tee bestellen oder Grog?«

»Im Allgemeinen bin ich für das Übergehn aus dem einen in den andern, man hat das Spiel ja dabei so hübsch in der

Hand, vorausgesetzt, dass einen die Flasche nicht im Stich lässt. Aber heute lass es gut sein, Hugo. Sparen wir uns das Gelage für eine große Gelegenheit.«

»Examen?«

»Das ist zu unsicher, erst an sich, das heißt, ob wir bis dahin kommen, und dann in seinem Resultat. Nein, wenn ich von Aufsparen und großer Gelegenheit spreche, so hab ich was andres im Sinn und meine meinen ersten Abend.«

»Ich kann dir nicht folgen, Hans. Es ist lächerlich zu sagen, aber du bist so mystisch; erst recte vom Galgen und die Zusage spätrer Rätsel-Lösung und nun erster Abend ...«

»Ich habe doch deine Fassungskraft überschätzt, was übrigens nach Ansicht einiger eine ganz untergeordnete Gabe sein soll, vielleicht in Zusammenhang mit Logik und Mathematik. Alle Logiker verstehen gar nichts. Aber wundern muss ich mich doch. Zu was sind wir denn um den Königsplatz ungezählte Male herumgelaufen, links den Mond und rechts Kroll und die kleine F., und haben unter Verwerfung aller bisherigen Hamlet-Auffassungen einer neuen, tieferen nachgeforscht? um was habe ich meine Parallelen gezogen zwischen Amalie und Adelheid von Runeck, zwischen der Milford und der Eboli — wenn du schließlich nicht einmal verstehen willst, wenn ich von meinem ersten Abend spreche. Also rundheraus, ich spreche von meinem ersten ›Räuber‹-Abend. Kosinsky. Die Geschichte mit dem Repetitorium wurde mir zu langweilig. Und wenn man den guten Ausgang noch sicher hätte. Kurzum, ich bin zu Deichmann gegangen. Heute war die dritte Probe mit mir, Kraußneck brillant als Roller, ich denke, dass ich über kurz oder lang auch ins Charakterfach überspringe. Liebhaber ist bloß Durchgang.«

»Durchgang! Und die ›Räuber‹! Ist es möglich? Dann wird also in acht Tagen auf dem Zettel stehn: Kosinsky — Herr Rybinski. Oder willst du dein ›von‹ beibehalten?«

»Nein, man muss auch etwas für seine Familie tun. Mein

›von‹ wird gestrichen, wenigstens solange ich unberühmt bin; nachher kann ich es wieder aufnehmen.«

»Rechnest du darauf?«

»Natürlich rechne ich darauf. Jeder rechnet darauf. Garrick war ursprünglich auch von Adel. Denkst du, dass er mit der ganzen Geschichte angefangen hätte, wenn er sich nicht gesagt hätte: ›Ruhm geht über Adel.‹«

»Und das alles sagst du im Ernst?«

»In vollem Ernst. Und ich will dir auch noch mehr sagen und auch im Ernst. In ganz kurzer Zeit kommst du zu mir und sagst mir ›Rybinski, du hast Recht gehabt, den ganzen Kram an den Nagel zu hängen. Was meinst du, zu welcher Rolle passte ich wohl? Dunois oder Karl Moor.‹ Ich sage dir, du bist der geborne Karl Moor, und wenn du deinen Arm an die Eiche bindest, oder vielleicht auch, wenn du den Alten aus dem Turm holst, du musst großartig sein.«

»So, meinst du?«

»Du hast ganz das schwärmerisch Schwabblige, was dazugehört, und hast auch den Brustton der Überzeugung, wenn er sagt: ›Diese Uhr nahm ich dem Minister.‹ Es ist natürlich der Justizminister gewesen, und auf den wirst du bald ebenso schlecht zu sprechen sein wie ich. Ich habe die Schiffe hinter mir verbrannt. Alles im Leben ist bloß Frage der Courage.«

»Na, höre, Hans, es spielt doch noch manches andre mit.«

»Du meinst Liebe. Damit komm mir nicht. Larifari. Manche sind so verrückt, und dir trau ich schon was zu; wer so viel spazieren läuft und dieselbe Schwärmerei für Lenau wie für Zola hat (was dir beiläufig erst einer nachmachen soll), der ist zu jedem Liebesunsinn fähig. Es sieht dann auch aus wie Courage, ist aber das Gegenteil davon, bloß Schlapperei, Bequemlichkeit, Hausschlüsselfrage. Hugo, sieh dich vor. Aber so viel will ich dir schon heute sagen, wenn du dich normal entwickelst und nicht einen kolossalen Fauxpas machst und dich sozusagen normal und folgerichtig weiterentwickelst, so kommst du morgen da an, wo ich heute schon bin. Und wenn du Referendar werden solltest, was vielleicht möglich, Assessor wirst du nie. Lass doch die Einpaukerei. Alles umsonst. Ich kenne meine Pappenheimer.«

Indem klopfte es. Großmann erhob sich und ging auf die Tür zu und öffnete. Draußen stand Mathilde Möhring. Sie müsse noch in die Stadt, und weil keiner da sei außer ihrer Mutter, wolle sie nur fragen, ob Herr Großmann noch irgendwas zu Abend befehle.

»Danke, Fräulein Mathilde. Herrn von Rybinski hat alles abgelehnt. Ich gehe noch in den ›Franziskaner‹ hinüber. Wenn Sie mir vielleicht eine Flasche Sodawasser hinstellen wollen.«

Als er seinen Platz wieder eingenommen hatte, sagte Rybinski: »Dadurch wirst du dich auch nicht insinuieren. Sodawasser. Das trinkt doch bloß ein Philister.«

»Das ist erstlich noch sehr die Frage, denn es hängt viel davon ab, was man vorher getrunken hat, und dann will ich mich auch gar nicht insinuieren. Frau Möhring ist eine Philöse, und das Fräulein ist ihre Tochter. Und da insinuieren. So weit sind wir doch noch nicht runter. Und man hat seinen Lenau doch nicht umsonst intus.«

»Grade das, grade das. Lyrik schützt vor Dummheit nicht. ›Auf dem Teich, dem regungslosen, weilt des Mondes holder Glanz‹ — es braucht bloß ein bisschen Mondschein, so verklärt sich alles, und der Teich kann auch 'ne Stubendiele sein.«

»Ich begreife dich nicht, Hans. Und so ganz ohne Veranlassung.«

»Des Menschen Bestes sind Ahnungen. Und sie hat solch Profil, Gemme, streng und edel und einen kleinen Fehler am Auge und aschblond. ›So schreiten keine ird'schen Weiber, die zeugete kein sterblich Haus …‹«

»Unsinn. Was soll das. Eigentlich ist sie doch einfach eine komische Figur.«

»Sage das nicht. So was rächt sich.«

»Ach was. Alles Unsinn und Übermut. Und nun lass uns gehn. Wann ist denn eigentlich dein Debüt?«

»Nächsten Dienstag. Halte den Daumen. Oder noch besser, komm und klatsche.«

Fünftes Kapitel

Die nächsten Tage vergingen ruhig. Am Vormittag hatte Hugo sein Repetitorium, dann ging er zu Tisch, dann nach Wilmersdorf; am Abend war er zu Haus, wenigstens meist, und war alles in allem ein Muster von Solidität. Was Mathilden auffiel, war sein Studium. Aus allem, was sie sah und auch aus Andeutungen von ihm selber hörte, ging hervor, dass er sich zu einem Examen vorbereitete, er steckte auch jeden Morgen, wenn er ausging, immer ein Buch oder ein Heft zu sich, trotzdem war ihr klar, dass, wenn er wieder zu Hause war, von Studien keine Rede war. Auf einem am Fenster stehenden Stehpult, das er sich angeschafft hatte, lagen zwar ein paar dicke Bücher umher, aber sie hatten jeden Morgen eine dünne Staubdecke, Beweis genug, dass er sich den Abend über nicht damit beschäftigt hatte. Was er las, waren Romane, besonders auch Stücke, von denen er jeden zweiten, dritten Tag mehrere nach Hause brachte; es waren die kleinen Reclam-Bändchen, von denen immer mehrere auf dem Sofatisch lagen, eingeknifft und mit Zeichen oder auch mit Bleistiftstrichen versehn. Mathilde konnte genau kontrollieren, was ihm gefallen oder seine Zweifel geweckt hatte, denn es kamen auch Stellen mit Ausrufungs- und selbst mit drei Fragezeichen vor. Aber das waren doch nur wenige; »Das Leben ein Traum« hatte die meisten Zeichen und Randglossen und schien ihn am meisten interessiert zu haben.

»Mutter«, sagte Thilde, »wenn da nicht ein Wunder geschieht, der macht es nie.«

»Was denn, Thilde?«

»Na, das Examen. Uns kann es recht sein. Je länger es dauert, je länger bleibt er. Und wenn er es macht und durchfällt, so bleibt er auch. Wohin soll er am Ende? Sehr viel Anhang scheint er nicht zu haben. Selbst der Herr mit der polnischen Mütze war noch nicht wieder da.«

Das hatte freilich seine Richtigkeit. Rybinski war seit seinem ersten Besuche noch nicht wieder da gewesen, aber am Abend desselben Tages, wo Thilde Möhring diese Betrachtungen gemacht hatte, kam er und traf auch seinen Freund Hugo zu Haus.

»Endlich, Hugo. Du wirst gedacht haben, ich hätte geschwindelt und das mit dem Kosinsky sei nur ein Ulk gewesen. Aber ich sage dir, großer Ernst. Eigentlich heißt es bitterer Ernst, aber dies Wort möchte ich begreiflicherweise vermeiden. Man ist übrigens der Meinung, ich m ü s s e gefallen, und einer sagte mir heut früh, ›ich sei der geborne Kosinsky‹. Leider war es Spiegelberg, aber wie das immer ist, gerade dieser ist eine treue Seele. Nun, morgen muss sich alles entscheiden. Ich bringe dir hier Billets, ein Parquet für dich und zwei zweiten Rang für deine Damen drüben, wenn sie auf diesen Namen hören, was mir allerdings zweifelhaft ist. Ich hätte dir drei Parquets bringen können, aber ich dachte mir, beide so dicht bei dir könnte dich vielleicht genieren, namentlich die Alte, sie ist doch noch sehr Mutter aus dem Volk. Und dann, offen gestanden, liegt mir und dem Direktor auch mehr am zweiten Rang; im Parquet sitzt immer Kritik, und wenn sich da zwei solche Damen auf Enthusiasmus ausspielen, wird es lächerlich, aber im zweiten Rang, da geht alles, auf den zweiten Rang, wenn man ein bisschen aufpasst, kann man sich verlassen. Dein Platz unten ist Eckplatz, alles vorgesehn, aber ich finde, Hugo, du bist etwas nüchtern.«

»Nein, Hans, ich bin nur etwas benommen; ich dachte nicht, dass du mir Wind vorgemacht hättest, ich dachte nur, es wäre was dazwischengekommen, weil es sich so hinzog ...«

»Ah, ich versteh; man hatte schließlich gemerkt, es ginge doch nicht, es sei nichts [mit] mir.«

»Du musst nicht empfindlich sein, bist noch nicht aufgetreten und fängst schon damit an. Aber das ist nur die Hälfte von dem, was ich eben dachte. Das andre ist das mit den zwei Möhrings.«

»Aber, Herz, das ist ja leicht zu ändern, du kannst auch zwei Parquets haben.«

»Nein, das ist es nicht; im Gegenteil, das mit dem zweiten Rang hast du dir gut ausgedacht und rücksichtsvoll gegen mich. Es ist mit dem Mitnehmen überhaupt solche Sache, wenn wir auch verschiedne Plätze haben, das ist doch wie gesellschaftliche Gleichstellung, und wenn ich mit der Alten über den alten Moor spreche oder sie mit mir, denn ich werde nicht anfangen, so sind wir intim. Und das geht doch nicht gut. Und dann, was kann denn solche Frau sagen? Alles bringt nur in Verlegenheit.«

»Ach, Hugo, das ist ja lächerlich. So viel musst du doch wissen, dass überhaupt bloß Unsinn gesprochen wird.«

»Und dann muss ich sie doch hinbringen, und wenn es aus ist, muss ich sie wieder nach Hause begleiten.«

»Das seh ich nicht ein. Du machst ihnen ein Geschenk und lässt sie ihrer Wege gehn.«

»Gut, du sollst Recht haben: ich will es so machen. Du siehst nun, warum ich so benommen war, was du nüchtern nanntest. Von nüchtern keine Rede, eigentlich bin ich aufgeregt, wie wenn ich selber den Kosinsky spielen sollte.«

»Wer weiß, was kommt.«

Und damit brach der Freund wieder auf, weil er noch hunderterlei zu tun und zu bedenken habe. »Bei Philippi sehn

28

wir uns wieder. Und ficht tapfer. Unterlieg ich, so muss ich mich ins Schwert stürzen.«

»Verlange nur nicht, dass ich es halte.«

Rybinski war kaum fort, so ging Hugo zu den beiden Frauen hinüber, um ihnen die zwei Billets zu bringen; Parquet sei ausverkauft, das sei der Grund, dass sie sich trennen müssten, aber er werde immer hinaufsehn.

Mutter Möhring sagte gar nichts, Thilde aber fand sich leicht zurecht und sagte mit vielem Anstand und in ihrer ganzen Haltung wie verändert: »Es sei sehr liebenswürdig, an sie zu denken, und sie empfänden es als eine große Ehre.«

»Ja«, sagte die Alte, das habe sie auch sagen wollen.

Und nachdem noch ein paar Fragen gestellt und hin und her komplimentiert worden war, ging Hugo wieder in sein Zimmer hinüber, während die Alte eine Fußbank an den Ofen schob und sich hinsetzte; Thilde setzte sich aufs Sofa und schob die kleine Petroleumlampe so, dass sie daran vorbei zur Alten hinübersehen konnte.

»Was ich nur anziehe, Thilde? Das Schwarzseidne geht doch nich mehr und war ja doch eigentlich auf Trauer gemacht. Und wenn ich das rote Tuch drübernehme, dazu bin ich wieder zu alt.«

»Ach, Mutter, das lass nur gut sein. Ich werde dich schon zurechtmachen, mit ein paar Schleifen zwingen wir's schon. Es sieht einen ja doch keiner an. Und wenn auch. Die Haube ist für 'ne alte Frau immer die Hauptsache, und deine Haube ist noch ganz gut, ein bisschen tollen und aufplätten, und du siehst aus wie 'ne Gräfin.«

»Ach, Kind, rede doch nicht solch Zeug.«

»Na, ich sage dir, Mutter, das wollen wir schon kriegen. Mit das bisschen Anziehn und Zurechtmachen, das is es nicht, ich habe Putzmachen gelernt und Blumenmachen auch und Klöppeln auch, und das müsste doch nicht mit rechten Dingen zugehn, wenn ich uns nicht rausstaffieren sollte. Wundern soll er sich, wie du aussiehst, und wenn er uns nach dem Theater in ein Lokal führt …«

»Ach Thilde, wie kannst du nur so was denken.«

»Na, wenn nich, denn nich. Ich hänge nicht dran, es macht nur so einen Eindruck und sieht ein bisschen nach was aus und dass man doch auch mit zugehört.«

»Ja, ja; das is schon recht.«

»Und weißt du, Mutter, was ich dir schon vor ein paar Tagen sagen wollte, wir wollen doch die alte Runtschen wieder ins Haus nehmen, das heißt immer bloß eine Stunde, dass sie drüben rein machen kann und alles einholen. Ich bin ja nich dagegen, und mir kommt es nicht drauf an. Aber neulich hatte er was vergessen und kam gerade dazu, wie ich da bei all dem Planschen und Gießen war und der Blecheimer mitten in der Stube — da war es mir doch genierlich. Und ich denke wirklich, wir nehmen die Runtschen. Sie kann dann auch einholen, was wir brauchen.«

Die Mutter hatte kleine Bedenken und sagte: »Thilde, das läuft so ins Geld. Und man weiß doch nicht, wenn er dann kündigt …«

»Dann kündigen wir auch wieder. Die Runtschen is ja 'ne vernünftige Frau. Und dann, was heißt kündigen! Glaube mir, der kündigt nicht.«

Der andere Tag war ein großer Tag. Der Inhalt einer großen Pappschachtel, darin sich Bänder und alte Blumen befanden, war auf die Chaiselongue ausgeschüttet, damit man einen besseren Überblick hatte. Der Alten war es nicht recht.

»Thilde, das fusselt alles so. Und es ist doch unser Prachtstück. Kind, Kind, wo soll es denn alles herkommen.« Aber Thilde ließ sich nicht einschüchtern, und als sie gefunden hatte, was sie für sich und die Alte brauchte, war sie fleißig bei der Arbeit. Dann wusch sie zwei Paar hellbraune Handschuh. Es roch bis in Hugos Zimmer hinüber nach Brönner.

Dann wurde geplättet. Thilde war in einer apart guten Laune. »Sieh nur, wie er glüht.« Und dann schlug sie den Schieber mit einem Feuerhaken zu.

»Hast du auch die Billetter, Thilde«, das waren die letzten Worte, die vor Verlassung der Wohnung gesprochen wurden. Ihr Mieter Hugo Großmann hatte sich den ganzen Tag nicht sehn lassen, wodurch er der Begleitungsfrage klug entgangen war.

Kosinsky war dreimal gerufen worden, und die Alte, die nicht klatschen wollte, hatte sich begnügt, dem Darsteller der Rolle zuzunicken, als er sich grade nach der andren Seite hin bedankte. Dann sagte sie zu Thilde, während der Lärm noch fortdauerte: »Er macht es recht gut, er hat so viel Anstand. Es muss doch sehr schwer sein.«

»I Gott bewahre«, sagte Thilde, die sich ablehnend gegen alles verhielt, weil sie bemerkte, dass Hugo vermied, nach dem zweiten Range hinaufzusehn. Einmal geschah es, und nun grüßte er auch, aber sehr steif und förmlich. Sie legte sich's aber schließlich doch zum Guten zurecht, und als der große Traum kam und eben das weiße Haar in die Waagschale des Gerichts fiel, sagte sie sich: Es ist ein gutes Zeichen, dass er nich raufsieht, weil er kein Leichtfuß ist und es ernst nimmt. Er sagt sich, all so was hat eine Tragweite ... ja, von Tragweite hat er schon ein paarmal zu mir gesprochen ... Und so ganz abgeschlossen hat er noch nicht ... er nimmt es nicht als Spaß ... Sie kam in ihren Betrachtungen nicht weiter, weil die Alte sagte: »Sieh doch mal nach, Thilde, wer der alte Diener ist; er zittert ja so furchtbar.«

»Ach, lass doch«, sagte Thilde und reichte der Alten die Tüte mit Drops zurück, die sie mitgenommen hatte.

Seitens der Möhrings waren Mantel und Hut draußen abgegeben worden, Thilde hatte drauf bestanden. »Mutter«, hatte sie gesagt, »du weißt doch, dass ich's zusammenhalte.

Aber mitunter muss man, und mitunter ist Anständigkeit auch das Klügste.«

»Na, wenn du meinst, Thilde. Wir wollen es aber auf eine Nummer geben.«

Jetzt hatten sie sich eingemummelt und stiegen die Treppe hinunter. Unten in der Vorhalle verweilte sich Thilde, weil sie's für möglich hielt, dass ihr Mieter an einer der Barren stehn und auf sie warten würde. Aber er war nicht da. Das gab eine neue Verstimmung, und einen Augenblick überkam die sonst unerschütterliche Thilde die Frage: »Ob ich mich doch vielleicht irre?« Sie war aber, weil sie den Charakter ihres Mieters ganz genau zu kennen glaubte, von einem unvertilgbaren Optimismus oder Hoffnungsseligkeit und sagte sich: er muss natürlich seinen Freund beglückwünschen, und er kann nicht an zwei Stellen zugleich sein.

Erst nach zehn waren sie zu Hause, was nichts schadete, da sie den Hausschlüssel mithatten. »Siehst du, Thilde, wie gut«, sagte die Alte, als sie den Hausschlüssel aus ihrer Tasche hervorholte.

»Ach, Mutter, als ob ich nicht gewollt hätte. Natürlich. Ich dachte ja sogar, wir könnten erst um elfe kommen.« Auf der Treppe trafen sie den Portier, der eben das Gas ausmachte. »Soll ja sehr schön gewesen sein«, sagte dieser.

»Gott, Krieghoff, wissen Sie denn schon?«

»Ja, meine Ida war auch da; Ida ist immer da. Sie kennt welche von 's Theater.«

»Na, das ist recht«, sagte Thilde. »Theater bildet.«

Und damit stiegen Mutter und Tochter höher die Treppe hinauf, während der Portier, in einem Anfall von Wohlwollen, ihnen noch eine halbe Treppe hinaufleuchtete.

Oben sagte Thilde: »Nu, Mutter, wollen wir uns einen Tee aufgießen und warten, bis er kommt. Er wird uns wohl auch noch sehn wollen und hören, ob wir uns amüsiert haben.«

»Ach, Thilde, es war ja doch so graulich. Der alte Mann. Und wie er aussah, wie er da rauskam und der andere gleich rin. Na, da fiel mir 'n Stein vom Herzen. Wenn ich mir denke, dass so einer noch frei rumliefe ...«

»Das kann er ja gar nich, Mutter; es ist ja schon so lange her. Und dann is es ja auch bloß so was Ausgedachtes. Du denkst immer, es ist wirklich so.«

»Ja, Kind, warum soll ich so was nich denken. Es gibt so viele schlechte Menschen ...«

»Ja, ja, erzähle nur nich die Geschichte von dem Kürschnermeister in Treptow; ich weiß ja, dass er seine Frau mit 'm Marderpelz erstickt hat. Aber es gibt auch gute Menschen.«

»Ja, die gibt es auch. Und ich glaube, unser Jetziger hier drüben ist ein guter Mensch.«

»Ja, das ist ein sehr guter. Das heißt, wenn er so ist, wie ich ihn mir denke.«

»Du sagst ja immer, du bist so sicher.«

»Bin ich auch. Bloß mitunter wird einem doch so bange. Aber es geht gleich wieder vorüber.«

Sechstes Kapitel

Die Möhrings hatten bis Mitternacht gewartet und den Tee schon zweimal wieder aufgegossen. Als aber der Mieter noch immer nicht da war, sagte die Alte: »Thilde, was sollen wir so viel Petroleum verbrennen; nu kommt er nicht mehr. Und wenn er kommt, wird er wohl auch nicht wollen, dass wir ihn so in seinem Zustand sehn. Er wird wohl in Töpfers Hotel sitzen, im Keller unten, da sitzen sie immer.«

Danach waren sie zu Bett gegangen und lagen auch still und sprachen nicht. Aber von Schlafen war keine Rede. Thilde beschäftigte sich mit seiner Haltung während des ganzen Abends und dieser nächtlichen Kneiperei, die ganz jenseits ihrer Berechnungen lag, und die Alte war immer noch bei dem Stück. Es schlug schon eins, als sie sich aufrichtete und leise sagte: »Thilde, schläfst du schon?«

»Nein, Mutter.«

»Das ist gut, Kind. Mir ist so angst. Ob es von dem Tee is? Aber ich habe solch Herzschlagen und sehe immer den alten Mann …«

»Ach lass doch den alten Mann, Mutter. Der schläft nun schon zwei Stunden, und du musst auch schlafen.«

»Und das Einzige is, dass der Rotkopf …«

»Ja, der hat nu seinen Denkzettel.«

»Und was wohl aus dem armen Wurm, dem Fräulein, geworden ist? Wie hieß sie doch?«

»Amalie.«

»Richtig, Amalie. Ja, die is doch nu so gut wie eine Waise. Denn wenn sie den Alten auch wieder rausgeholt haben. Lange kann er's doch nicht mehr machen.«

»Nein, das kann er nicht, Mutter. Aber jetzt werde ich dir ein Glas Wasser holen, und dann legst du dich auf die andre Seite.«

»Na ja, ich werde bis hundert zählen.«

Es war darauf gerechnet, dass Hugo spät aufstehen würde, aber das Gegenteil geschah, er klingelte früher als gewöhnlich und musste wohl zehn Minuten auf sein Frühstück warten. Thilde wollte diese Verspätung entschuldigen; er sagte aber, es hätte nichts zu sagen, e r müsse sich entschuldigen; um vier nach Hause kommen und um sieben Frühstück, das sei beinah unnatürlich. Ob es denn hübsch gewesen sei, das heißt, ob sie sich amüsiert hätten und ob ihnen Rybinski gefallen hätte. Er wolle ausgehn und gleich nachsehn, ob er gelobt sei. Dass sie nicht geklatscht hätten, sei sehr gut gewesen; es falle auf und schade bloß und heiße dann in den Zeitungen, es sei alles Claque gewesen. Übrigens hätte Rybinski ihm gesagt, er würde wieder Billets schicken, wenn er in einer neuen Rolle aufträte. Das sei in der nächsten Woche, da spiele er den Dunois, Bastard von Frankreich. »Sie kennen die Rolle, Fräulein Thilde.«

»Ja, den D u n o i s kenn ich«, sagte sie mit Betonung des

Namens, ohne weitere Zutat, um ihn auf diese Weise das Unpassende des »Bastard« fühlen zu lassen. Zu dem Plan, den sie sich ausgedacht hatte, gehörte durchaus Tugend. Sie hielt es deshalb, um ihrer Reprimande noch mehr Nachdruck zu geben, auch für angezeigt, das Gespräch abzubrechen, so schwer es ihr wurde.

Als sie wieder drüben in ihrem Zimmer war, fand sie die Runtschen vor, die nicht durch das Entree, sondern durch die Küche gekommen war. Sie sah aus wie gewöhnlich, Kiepenhut und eine schwarze Klappe über dem linken Auge.

»Ah, guten Tag, Frau Runtschen. Na, das ist gut, dass Sie da sind. Hat Ihnen Mutter schon gesagt …?«

»Ja, Thildechen, Mutter hat mir schon gesagt, dass wieder ein Herr da ist und dass ich rein machen und einholen soll. Aber wann muss es denn sind? Von sieben bis acht bin ich drüben bei Hauptmann Petermann und von acht bis neun bei Kulickes unten.«

»Das passt sehr gut. Neun bis zehn ist die beste Zeit oder noch ein bisschen später. Um die Zeit ist er immer weg. Und Sie können sich's dann einrichten, wie Sie wollen, und Sie wissen ja auch Bescheid, wo alles steht. Aber mitunter ist er auch noch da und sieht so aus 'm Fenster, ja, Frau Runtschen, dann müssen Sie sich so 'n bisschen zurechtmachen.«

»Zurechtmachen?«

»Ja, Frau Runtschen. Ich meine natürlich nur ein bisschen. Sie können nicht kommen wie 'ne Prinzessin. So viel wirft es nicht ab.«

»Ne, ne, so viel wirft es nicht ab.«

»Aber doch so das Nötigste. Eine weiße Schürze. Und dann, dass Sie den Kiepenhut abnehmen. Wenn er nicht da ist, dann ist der Kiepenhut ganz gut, und man sieht nicht alles. Aber wenn er da ist, is doch 'ne Haube besser.«

»Ja, Fräuleinchen, was heißt Haube?«

»Natürlich sollen Sie sich keine mitbringen. Aber an unserm Ständer, da finden Sie allemal eine.«

»Na, wenn's erlaubt is, denn nehm ich sie mir so lange.«

»Ja, Frau Runtschen, und dann noch eins, die schwarze Klappe da dürfen Sie nich länger als acht Tage tragen, ich werde jeden Sonnabend eine neue anschaffen. Ihr Schaden soll es nicht sein.«

Siebentes Kapitel

Die »Jungfrau« kam zur Aufführung, mit Rybinski als Dunois, aber weder die Möhrings noch ihr Mieter Hugo Großmann wohnten der Aufführung bei, da dieser Letzte krank geworden war. Er fieberte ziemlich stark und bat, nach einem Arzt zu schicken; dieser kam und war mehrere Tage lang im Unsichern, bis es sich eines Morgens herausstellte, was es war. Er ging mit zu Möhrings hinüber und sagte: »Es sind die Masern, nichts Besondres und nichts Gefährliches. Aber Vorsicht, liebe Frau Möhring, sonst haben wir einen Toten, wir wissen nicht wie.«

»Gott, Herr Doktor, er is ja erst sechs Wochen bei uns und denn so was. Und wenn die Leute das hören, da will ja denn keiner einziehn, und vertuscheln geht auch nich; es sind immer so viele schlechte Menschen, und Schultzens wird es auch nicht recht sein.«

»Wohl möglich. Aber das hilft nicht; vor allem nicht gleich so ängstlich; noch lebt er und wird auch wohl weiterleben. Ich habe Sie nur warnen wollen, dass Sie aufpassen und immer nasse Lappen über den Bettschirm hängen. Mit dem Bazillus is nicht zu spaßen. Und vor allem kein Zug. Zug ist das Schlimmste, da tritt alles zurück und wirft sich auf die edleren Teile ...«

»Gott, is es möglich ...«

»Und dann haben wir casus mortis.«

Mathilde war dabei nicht zugegen. Als sie von einem Gang in die Stadt nach Hause kam und hörte, was der Arzt gesagt,

sagte sie: »Mutter, du kannst doch auch gar nichts vertragen. Masern. Gar nichts. Masern sind Masern. Jedes kleine Wurm hat sie; sie sollen sogar gesund sein, es kommt alles raus, und das is immer die Hauptsache. Natürlich müssen wir aufpas-
5 sen und auch sorgen, dass er die Runtschen nich zu sehn kriegt, er ist so empfindlich in manchem und hat mir mal gesagt, er graule sich vor der Runtschen.«

»Ach, das hat er bloß so gesagt …«

»Nein, ganz im Ernst, Mutter. Solche, die immer Stücke
10 lesen und ins Theater gehn, die sind so. Und das schwarze Pflaster — es ist auch zum Graulen.«

»Ach, Thilde, was unsereiner auch alles erleben muss. Und das nennen sie dann Fügungen, und man soll sich auch noch bedanken.«

15 »Rede nicht so, Mutter, das bringt Unglück, denke an Hiobben. Und Fügungen. Natürlich sind es Fügungen, und die Leute haben auch ganz Recht, wenn sie von Bedanken reden. Wenigstens wir. Denn das kann ich dir sagen, für uns is es eine sehr gute Fügung, und wenn ich mir was hätte denken
20 sollen, auf so was Gutes wie diese Masern wäre ich gar nich gekommen.«

»Meinst du?«

»Freilich mein ich.«

»Aber wie denn, Thilde?«

25 »Das erzähl ich dir ein andermal, wenn's da ist. Wenn man drüber redt, dann beruft man's.«

»Ach, Thilde, du rechnest immer alles aus, aber du kannst auch falsch rechnen.«

»Kann ich. Aber du sollst sehn, ich rechne richtig.«

30 Hugo Großmann überstand seine Masern und war im Abschülberungszustand, als der Doktor sagte: »Ja, liebe Frau Möhring, den haben wir nu mal wieder raus. Das heißt aus 'm Gröbsten. An Gesundheit ist noch nich zu denken, und die Vorsicht muss verdoppelt werden; der kleinste Fehler,

und es wirft sich auf die Ohren oder, wenn er zu früh Licht kriegt, auf die Augen, und dann is er blind. Andrerseits hätt ich's gern, er könnte hier raus; die nassen Lappen sind gut, aber immer nasse Lappen geht auch nicht. Könnten Sie ihn nicht umbetten, ich meine umlogieren, vielleicht neben[an] in das Entree. Sie müssen dann freilich zuschließen und allen Verkehr mit der Welt abschließen, und wer zu Ihnen will, muss durch die Küche. Krankheit entschuldigt alles. Überlegen Sie's mit Fräulein Mathilde, die ist findig, die wird schon Rat schaffen.«

Und damit ging er.

Mathilde rechtfertigte natürlich das gute Vertraun, das der Doktor zu ihr hatte, und sagte: »Doktor Birnbaum hat ganz Recht. Er muss raus. Ich kann die Lappen schon gar nich mehr riechen. Aber das mit dem Entree, das geht nich. Entree. Das sieht so weggesetzt aus, so nich hü und nich hott; er ist doch ein studierter Mann und ein Burgemeisterssohn, und die Masern hat er bei uns gekriegt. Er muss in unsre Stube …«

»Ja, Thilde, das geht doch nich. Wir haben ja doch bloß die eine. Und dann ein Bett und ein fremder Mann drin, es geht doch nich.«

»Es geht alles. Aber das mit dem Bett is gar nich nötig. Das Bett bleibt stehn, wo's steht, und abends bringen wir ihn rüber und packen ihn ein und seine Reisedecke drüber, dass er sich nich bloßwirft.«

»Und bei Tage …«

»Bei Tage ist er bei uns drüben. Er wird nichts tun, was uns genieren kann, und ich kann immer rausgehn. Du freilich, du bist eine alte Frau, und er könnte dein Sohn sein, und an dich muss er sich wenden. Aber er wird nich, er is viel zu anständig, er schadet sich lieber. Und da haben wir ihn denn, solange die Rekonvaleszenz dauert, immer drüben und müssen die Rouleaux halb runterlassen, dass er kein Licht kriegt, und müssen ihm was vorlesen und müssen ihm was erzählen.

Aber erzähle nicht zu viel von Vatern, du gehst immer so ins Einzelne, und so was Interessantes war Vater nich.«

»Aber er war ein sehr guter Mann …«

»Ja, das war er.«

5 »… Ein sehr guter Mann. Und dann, Thilde, was ich sagen wollte, wie denkst du dir das eigentlich mit ihm. Sein Bett bleibt drüben, und auf einen Stuhl können wir ihn doch nich setzen; so lange kann er sich doch nicht gerade halten, er is ja noch krank und schwach.«

10 »Nein, das kann er nich. Und da siehst du nu wieder, wie gut es ist, dass wir die Chaiselongue haben. Ich wusste, dass sich das verlohnen würde.«

»Ja, findst du, dass das geht? Es ist doch sozusagen unser Prachtstück, der Stehspiegel hat den Riss und sieht nich recht
15 nach wie aus. Aber die Chaiselongue. Du musst doch nich vergessen, vierzehn Tage oder vier Wochen dauert es, und dann is es hin. Er wird Kuten einliegen und alles eindrücken, denn Kranke sind so unruhig und liegen mal hier und mal da.«

20 »Das ist ja gerade das Gute. Da verteilt es sich aufs Ganze, und von Kuten-Einliegen is keine Rede. Und wenn auch, Mutter. Wer was will, der muss auch was einsetzen. Er sieht dann, dass wir ihm unser Bestes geben, und wie ich ihn kenne, wird ihn das rühren, denn er hat was Edles, das heißt so
25 auf seine Art. Zu viel darf man von ihm nich verlangen.«

Gleich am Tage, wo dies Gespräch geführt wurde, wurde Hugo Großmann in die Möhringsche gute Stube herübergenommen und auf der Chaiselongue installiert. Er nahm sich da ganz gut aus. Ein kleines Tischchen stand neben ihm, mit
30 einem Heliotrop darauf. Er roch aber zu stark und wurde durch weiße Astern ersetzt. Auf einem grünen Weinblatttteller lagen zwei Apfelsinen. Daneben eine Klingel, bloß als Putzstück, denn Mutter und Tochter waren immer da und brauchten nicht erst zitiert zu werden.

Der Arzt war mit dieser Umlogierung sehr zufrieden und sagte, als er mit Hugo allein war, allerlei Verbindliches über so »gute Menschen«, in deren ganzem Verhalten sich die einzig wahre Bildung ausspräche, die Herzensbildung. Fräulein Mathilde sei übrigens überhaupt gebildet und, wenn man ihren Kopf öfter gesehn und sich so mehr hineingelebt habe, fast eine Schönheit.

Draußen im Entree standen Mutter und Tochter und stellten allerlei Fragen, was wohl für den Kranken erlaubt sei und was nicht. »Immer in Dämmer«, sagte der Doktor, »am besten ist es, wenn er auch in einem geistigen Dämmer bleibt.«

»Aber wir dürfen doch mit ihm reden?«

»Gewiss, liebe Frau Möhring, alles, was sie wollen. Bloß nichts Aufregendes.«

»Oh, du mein Gott, wie werd ich denn was Aufregendes ...«

»Und Vorlesen ist vielleicht auch erlaubt?«, unterbrach Thilde, die sah, dass sich die Alte noch weiter über das »Aufregende« verbreiten wollte.

»Ja, Vorlesen geht, aber nicht viel und nichts Schweres.«

Als sie wieder bei Hugo eintraten, erzählte ihm Thilde, was der Doktor alles erlaubt habe, nur immer abends ein grüner Lichtschirm, eine grüne Lampenglocke sei nicht genug, und wenn er Lust hätte, so dürfte ihm auch was vorgelesen werden, drei-, viermal des Tages, aber nie länger als eine halbe Stunde.

Hugo nickte sehr erfreut, denn sein Kranksein fing ihm an langweilig zu werden, und als Thilde fragte, »was er denn wohl wünsche? Bücher seien ja da die Hülle und Fülle«, da sagte er: Ja, die Geschichte von Zola, wo das Paradies drin vorkäme, die möchte er wohl hören, er sei grade bis dahin gekommen, wo das Paradies beschrieben würde. Freilich, es käme so manches darin vor, und er wisse nicht, ob er an Fräulein Thilde das Ansinnen stellen dürfe ...

Thilde merkte gleich, dass er dies in Erinnerung an das kurze Jungfrau-von-Orleans- und Dunois-Gespräch sagte, darin sie den »Bastard«, übrigens sehr taktvoll, abgelehnt hatte, und wenn sie damals geglaubt hatte, sich den sittlichen Standpunkt sichern zu müssen, so hatte sie jetzt das Gefühl, dass man den Bogen der Sittlichkeit und den Eindruck des Engen und Kleinlichen, was immer eng und kleinlich und spießbürgerlich wirkte, nicht überspannen dürfe. Sie sagte denn also, während sie sich an das Fußende der Chaiselongue stellte und mit einem gewissen sittlichen Ernst zu ihm hinübersah, in der Schilderung des Paradieses, wenn auch ein Sündenfall darin vorkäme, der ja fast dazu gehöre, sähe sie kein Hindernis. Auf einem so niedrigen Standpunkte stünde sie nicht. Ein Mädchen müsse freilich auf sich halten, im Leben und im Gespräch und in Theaterstücken, und dürfe nicht alles sehn und hören wollen, denn grade die Neugier sei ja der Versucher gewesen, aber ein Mädchen müsse sich auch vor Prüderie zu bewahren wissen, wenn ihr ihr Gefühl sage, selbst das Stärkste stehe hier um einer großen Sache willen. Und das sei nicht bloß in Theaterstücken und Romanen so, das sei auch schon so beim Lernen und im Konfirmandenunterricht. Sie habe früher bei Pastor Messerschmidt aus der Bibel vorlesen müssen. Da wären mitunter furchtbare Worte gekommen, und sie denke noch mitunter mit Schrecken daran zurück. Aber immer, wenn sie gemerkt hätte, »jetzt kommt es«, dann habe sie sich zusammengenommen und die Worte ganz klar und deutlich und mit aller Betonung ausgesprochen. Wie Luther.

Hugo nickte nur und fand bestätigt, was Doktor Bolle eben über Thilde gesagt hatte. Wie richtig, wie gebildet war das alles, und er freute sich über ihre tapferen und aufgeklärten Ansichten. »Es ist ein merkwürdiges Mädchen«, so gingen seine Betrachtungen, »nicht eigentlich schön, wenn man sie nicht zufällig im Profil sieht, aber klug und tapfer, ich möchte sagen, ein echtes deutsches Mädchen, charaktervoll, ein Wesen, das jeden glücklich machen muss, und von einer großen Innerlichkeit, geistig und moralisch. Ein Juwel.«

Achtes Kapitel

In dieser Richtung gingen von Stund an Hugos Gedanken, und als er eine Woche vor Weihnachten wieder in sein eignes Zimmer hinüberquartiert wurde, was der alten Möhring, die nicht über den Tag hinaus zu rechnen verstand, eine gewisse Genugtuung verursachte, stand es bei Hugo fest, dass Thilde die Frau sei, die für ihn passe. So gewiss er sich für einen ästhetisch fühlenden und mit einer latenten Dichterkraft ausgerüsteten Menschen hielt, so war er im Leben selbst doch von großer Bescheidenheit, beinah demütig, und hatte kein rechtes Vertraun zu seinem Wissen und Können. »Ich bin ein unnützer Brotesser«, hatte er zu Rybinski gesagt, der ihn lachend mit der Versicherung getröstet hatte, »dann gerade schmeckt es am besten«, was Hugo mit einer gewissen Wehmut akzeptiert hatte. Seine Beurteilung seiner selbst war richtig, und weil sie richtig war, war auch das richtig, dass Thilde für ihn passe. Sie hatte grade das, was ihm fehlte, war quick, findig, praktisch. Er wollte sich noch vor Weihnachten ihres Jaworts versichern. Dass ihm dies Ja nicht versagt werden würde, davon hielt er sich überzeugt, denn schließlich war er doch immer ein Burgemeisterssohn mit Vollbart, während Thilde, so viel sah er wohl, auf Geburtsstolz verzichten musste. »Fräulein Thilde«, sagte er, als sie gleich am ersten Abend seiner Wiederumquartierung ihm den Tee brachte mit geschnittenem Schinken, »Fräulein Thilde, Sie sind sich immer gleich in Ihrer Güte gegen mich, und weil Sie glauben, es würde mir alles noch schwer, so haben Sie auch den Schinken schon geschnitten. Sie haben mich gepflegt und verwöhnt und haben mir all die Wochen über erst gezeigt, wie glücklich man im Leben sein kann. Eine liebevolle Hand ist das, was man im Leben am meisten braucht. Aber setzen Sie das Teezeug erst hin … Und nun geben Sie mir Ihre liebe kleine Hand, denn es ist eine kleine Hand, und treten Sie mit mir ans Fenster und sehen Sie mit mir auf das Bild da, das Gewölk, das am Monde vorüberzieht und sich wieder aufhellt im Vorüberziehn. Es ließe sich vielleicht ausdeuten, aber auch ohne das, ich frage Sie, ob ich Ihre kleine Hand, denn es ist eine kleine Hand, auch noch weiter halten darf, lange noch, ein Leben lang.«

Sie gab nicht unmittelbar Antwort und beschäftigte sich vielmehr damit, das Rouleau herunterzulassen. Dann nahm sie seinen Arm, führte ihn vom Fenster her an das hochlehnige Sofa zurück und sagte, während sie sich, mit aufgestemmten Händen und das Teezeug zwischen ihnen, auf die andre Seite des Tisches stellte: »Sie sind noch so angegriffen. Ich höre es an Ihrer Stimme, darin noch die Krankheit zittert, und dass Sie gerade den Mond in unser Gespräch gezogen haben. Ach, Herr Großmann, der Mond ist nichts für Sie; Sie brauchen Sonne … Das gibt mehr Kraft.«

»Das mag schon sein. Aber das ist keine Antwort, Fräulein Thilde. Sie sollen mir ja oder nein sagen.«

»Nun denn ja, trotzdem es noch lange dauern wird, eine lange Verlobung.«

»Auf dem alten Wege, ja. Aber es gibt auch neue Wege.«

»Rybinski-Wege?«

Hugo schwieg, weil sie seine Gedanken erraten hatte. »Nein, Hugo, nichts davon. Dann nehme ich mein Ja zurück. Ich will nicht in der Welt herumziehn und dir die Königsmäntel anziehn. Ich bin fürs Ernste, für hergebrachte Formen und auch für Religion. Und wenn es noch dazu kommt, so komm mir nicht mit Standesamt. Alles, mein ich, muss seinen Schick haben. Ich rechne darauf, dass du mir durch Arbeit den Beweis deiner Liebe gibst. Erst das Examen. Das andre findet sich. Da will ich schon sorgen. Aber nu komm, dass wir's Mutter sagen. Oder nein, heute lieber nicht; du bist noch nicht fest auf den Füßen. Ich werd es ihr selber sagen, heut Abend im Bett. Und morgen früh kommst du dann. Ob sie sich freut, weiß ich nicht. Aber ja wird sie schon sagen.«

Sie stellte die kleine Teekanne vor ihn hin und was sonst noch auf dem Teebrett stand. Als sie alles geordnet und die Decke gradegezupft hatte, nahm sie das Tablett unter den linken Arm und gab ihm einen Kuss auf die Stirn.

Er wollte sie, vielleicht in unklarer Vorstellung von Bräutigamsrecht und -pflicht, festhalten und einen Sturm auf ihre schmalen Lippen versuchen.

Aber sie entwand sich ihm. An der Tür legte sie den Zeigefinger an die Lippen und grüßte zurück.

»Alles an ihr ist so mädchenhaft«, sagte Hugo.

Das geplante Bettgespräch hatte stattgefunden und war unter Vermeidung aller Umschweife mit dem Satze begonnen worden: »Mutter, weißt du was?«

»Nu was denn, Thilde?«

»Ich habe mich mit ihm verlobt.«

Die Alte richtete sich auf wie ein Gespenst, sah Thilden an und sagte dann: »O Gott, was soll nu aus mir werden?«

»Gar nichts, Mutter. Du bleibst, was du bist, und ein Esser ist weniger. Und wenn du was brauchst, dann schick ich es dir.«

»Ja, kann er denn? Hat er denn was?«

»Noch nich, Mutter. Aber wenn ich ihn bloß erst habe, das heißt richtig verlobt vor Gott und Menschen, da wird es schon werden. Er sieht ja doch aus wie auf der Kanzel, und so einer kommt immer an. Ich werd ihn schon anbringen.«

»Und wirklich verlobt? Und nich bloß so gesagt? und nachher sitzt du da, wie so ganz, ganz arme und unglückliche Mädchen dasitzen …«

»Ich weiß nicht, was das immer soll, Mutter. Vater hat gesagt: ›Thilde, halte dich propper.‹ Und hab ich nich? Und nu kommst du immer mit solchen Geschichten, so hintenrum, dass man nicht recht sagen kann, was du meinst. Aber ich weiß es schon. Und ich sage dir, ich bin nich so dumm. Er wollte mir einen Kuss geben und war so stürmisch, weil er

44

noch krank ist. Aber ich habe ihn in seine Schranken zurück-
gewiesen.«

»Das ist recht, Thildechen. Und wann denkst du denn,
dass es ins Blatt kommt? Oder soll es ganz still und verbor-
gen sein? Es ist doch immer besser, andre wissen es auch;
dann geniert er sich mehr, wenn er sich vielleicht anders besinnt.«

»Ach, anders besinnt. Er darf sich nicht anders besinnen,
und er wird auch nicht, und er will auch nicht. Er wird nu
morgen früh bei dir anfragen, und da musst du was Gutes sagen und nich so klein und ängstlich. Und er muss sehn, dass
wir nicht auf ihn gewartet haben.«

»Ja, da hast du Recht; aber was soll ich sagen? Du musst
mir was zurechtmachen, was passt.«

»Das geht nicht, Mutter. Dann verschnappst du dich und
sagst es an der unrechten Stelle.«

»Ja, das is möglich. Na, denn werd ich bloß sagen: ›Gott
sei mit euch.‹«

»Das ist gut. Aber du darfst ihn nich gleich ›du‹ nennen.
›Du‹ kommt erst, wenn es dringestanden hat und wir richtige
Verlobung gefeiert haben. Ich denke so Heiligabend. Unterm Christbaum, das hab ich mir immer gewünscht. Das hat
dann so seinen Schick und auch so ’n bisschen wie kirchliche
Handlung. Und is schon so ’n Vorschmack. Das heißt, ich
meine von der Trauung. Denn bei dir muss man sich immer
vorsichtig ausdrücken. Du denkst gleich …«

Am nächsten Morgen hielt Hugo richtig um Thildens
Hand an, und die Alte sagte gar nichts, sondern nickte nur
immer und streichelte Hugos Hand. Das war auch das Aller-
beste. Dann zog sich Hugo wieder in sein Zimmer zurück,
und er sah nun Thilde fast weniger als sonst. Wenn es irgend
ging, wurde die Runtschen vorgeschoben. Allerdings war
dies mit besondern Schwierigkeiten verknüpft, weil grade so
genanntes Matschwetter war, was die Runtschen in ihrer Er-

scheinung auf ein niedrigstes Maß oder Stufe herabdrückte. Für eine reine Schürze war zwar immer gesorgt, und den Kiepenhut, mit dem sie wie verwachsen war, musste sie abnehmen, aber man kann nicht sagen, dass dies viel half, fast im Gegenteil, weil die Mannsstiefel, die die Runtschen bei solchem Wetter trug, in einem beleidigenden Gegensatze zu der weißen Schürze standen.

All das entging Thilden nicht, aber sie hatte nicht Zeit, sich mit diesen verhältnismäßig geringfügigen Dingen zu beschäftigen, da die heranrückende Verlobung unterm Christbaum, es waren nur noch vier Tage, sie ganz in Anspruch nahm. Eine kleine Gesellschaft sollte gegeben werden, aber wie sie komponieren? Einen Augenblick war an Schultzens und auch an Frau Leutnant Petermann gedacht worden, deren Mann schon 1849 im badischen Aufstand gefallen war, aber Thilde ließ beide Pläne wieder fallen. Schultzens waren zu reich und konnten denken, man wolle was von ihnen oder wolle sich mit ihnen wichtig tun. Und so stand es doch noch lange nicht. Sie, die Rätin, hatte keine Ahnung vom Exportgeschäft; sie ging zu Mannheimer, das war alles. Und die Petermann war wohl arm genug, aber sie hatte so was Schnippisches und sprach so gebildet, weil sie früher Schneiderin gewesen war, was nun keiner merken sollte. Kurzum, Thilde sah ein, dass aus dem Kreise eigner Bekanntschaft niemand so recht zu wählen sei, und einigte sich in einem Gespräche mit Hugo dahin, dass nur ein Vetter Hugos, ein sonderbares altes Genie, das zwischen Maurerpolier und Architekt stand und seit zwanzig Jahren der Freund einer Witwe war (ein Umstand, der über sein Leben entschieden hatte), geladen werden solle. Dieser auf geistige Getränke gestellte Vetter, von dem Hugo zu sagen pflegte, dass seine Verwandtschaft zu Karoline Pichler näher sei als zu den Großmanns, passte gut, weil er kein Spielverderber war, außerdem natürlich musste Rybinski geladen werden. Um zehn wollte dann Thilde, dies war ein von ihr gestelltes, frühre Beschlüsse halb

aufhebendes Amendement, zu Schultzens runtergehn und sich als Braut vorstellen und daran die bescheidne Frage knüpfen, ob Rat und Rätin vielleicht eine Viertelstunde ihnen schenken und sich von ihrem Glück überzeugen woll-
5 ten. An der Ausführung dieses letztren Planes war der Alten beinah mehr gelegen als an der Verlobung selbst. Ein Wirt blieb doch immer die Hauptsache. Das mit dem Bräutigam konnte doch am Ende nichts sein, aber das mit Schultzens, das war immer was. Das Billet an Rybinski schrieb natürlich
10 Hugo. Rybinski kam und sagte zu, vorausgesetzt, dass er seine Braut mitbringen dürfe.

»Deine Braut?«, staunte Großmann. »Bist du denn verlobt?«

»O ja. Schon seit meinem Debüt, und wir sind sehr d'ac-
15 cord. Aber natürlich kann so was auch wieder zurückgehn, und wenn du mal so was hören solltest ...«

»Gut. Ich verstehe schon. Ich darf sie doch als deine Braut vorstellen?«

»Ich muss sogar sehr darum bitten.«

20   Neuntes Kapitel

Der Vierundzwanzigste kam und ging, die Verlobung war proklamiert worden, und die sechs Menschen, aus denen die ganze Gesellschaft bestand, waren ausnahmslos sehr vergnügt gewesen. Eine halbe Stunde lang sogar Schultze, der
25 auf Thildens Aufforderung in einer gewissen Paschalaune, sein Volk beglückend, in der kleinen Möhringschen Wohnung erschienen war, zurückhaltend in Bezug auf alles, was an Speis und Trank aufgetragen war, aber desto intimer mit Rybinskis Braut. Rybinski selbst lachte, versicherte dann
30 und wann, dass er sich mit dem Rechnungsrat über das Schnupftuch schießen müsse, weil ihm ein solcher Eingriff in

geheiligte Rechte noch gar nicht vorgekommen sei, und versprach schließlich, beim Rat und der Rätin seine Visite zu machen, spätestens zu Neujahr, aber ohne Braut. »Man kann doch nicht wissen, wie sich die Rätin stellt«, flüsterte er seinem neuen Freund Schultze zu. Und Schultze zwinkerte.

Den Toast auf das Brautpaar brachte der Vetter Architekt aus. Man werde nicht überrascht sein, wenn er seinerseits, als ein Mann des Baus, auch die Ehe, als deren Vorkammer die Verlobung anzusehen sei, wenn er auch die Ehe als einen Bau ansehe. »Das Fundament, meine Herrschaften, ist die Liebe; dass wir diese hier haben, ist erwiesen, und der Mörtel, der bis in alle Ewigkeit den Bau zusammenhält, das ist die Treue.«

Schultze nickte; Rybinski rief »Bravo« und drohte seiner neben Schultze stehenden Braut mit dem Finger, indem er mit dem Zeigefinger eine Stechbewegung machte, als müsse Schultze auf dem Platze bleiben. Der Vetter Architekt aber fuhr fort:

»Der Mörtel, sage ich. Aber auch der bestgefügteste Bau, bei den Erschütterungen, die das Leben mit sich führt, bedarf noch der Klammern und Stützen, und diese Klammern und Stützen, das sind die Freunde, das sind wir. Auch Schmuck hat ein gutes Haus, und in seine Nischen sehen wir gern allerhand liebe kleine Gestalten gestellt, putti sagen die Italiener, Putten sagen wir selbst. Ich weiß, ich greife vor, aber in dieser heitren Stunde wird auch ein heitrer Blick in die Zukunft gestattet sein. Es lebe das Brautpaar, es lebe die Zukunft, es leben die Putten.«

Rybinski umarmte den Redner und sprach etwas von dem geheimnisvollen Reiz der gefälligen oratorischen Begabung, die sei wie ein Quickborn: ein Schlag mit dem Pegasushuf, und die Quelle springe. »Gesegnet die, die diesen Huf haben.«

Erst gegen Mitternacht ging man auseinander, und die Tochter der alten Runtschen, eine schmucke Person, die an

einen Bahnhofsgepäckträger verheiratet war [und] die schon
beim Mantelabnehmen und dann beim Mohnpielenpräsen-
tieren die Bedienung gemacht hatte, begleitete die Herrschaften runter. Selbst Schultze nutzte seine Sonderstellung
5 nicht aus und gab ihr, als er auf dem ersten Treppenabsatz in
seine Wohnung abschwenkte, ein Trinkgeld. Alles benahm
sich in dieser Beziehung sehr anständig, und oben angekommen, teilte die alte und die junge Runtschen die Beute, was
von der jungen Runtschen sehr anständig war. Die Alte war
10 aber über die ganze Aushülfe verstimmt und konnte mit einer Hälfte nicht zufrieden sein, die eben die Hälfte und nicht
das Ganze war. »Du hast es doch nicht so nötig, Ulrike«, sagte die Alte.

»Gott, Mutter, du kannst doch nich runterleuchten mit
15 deinem einen Auge, erst fällst du und das Licht, und dann
fallen die andern auch. Du vergisst immer das mit das eine
Auge. Und manche graulen sich auch. Und was denkst du
denn! Glaubst du denn, dass der alte Schultze sich so honorig
gemacht hätte, wenn du runtergeleuchtet hättest? Ich sage
20 dir, der sieht sich seine Leute ordentlich an.«

Mutter und Tochter saßen noch lang in ihrem Bette auf. Es
gab viel zu sprechen. Für die Alte war Schultze die Haupt-
person, er habe doch feiner gewirkt als die andern und man
hätte doch merken können: der hat's. »Es gibt einem doch
25 so 'n Gefühl, und das hat er.«

·»Ach, Mutter, du verstehst ja so was nich. Schultze war der
Einzige, der in die Gesellschaft nicht passte. Von uns will ich
nich reden. Aber die andern. Ja, das waren ja lauter feine
Herren, alle studiert und Kunst dazu; der Vetter auch, wer so
30 was baut, das ist auch 'ne Kunst. Und nur von Vorkammer
hätt er nich sprechen sollen und von Putten erst recht nicht.
Aber daran siehst du's gerade; feine Leute, die sind so und die
behandeln all so was spielrig und lassen immer, wie Doktor
Stubbe sagte, den rechten Ernst vermissen. Aber es kommt
35 doch immer so was raus, was nich jeder sagen kann. Und nu

49

Schultze. Ja, du mein Gott, wenn er nicht das sonderbare Zeug zu Rybinskis Braut gesagt hätte, so hätt er so gut wie gar nichts gesagt. Und dann is es auch nicht fein, dass er gar nichts nahm, und is bloß Tuerei, sehr viel Gutes kriegt er unten auch nich. Aber du hast seine großen Manschettenknöpfe immer angesehn, [und] weil er die zwei Steine vorn im Chemisette hatte und weil er Wirt ist, so denkst du, es war was Feines. Ich hab ihn auch nur raufgeholt, weil du doch nu mit ihm durchkommen musst, wenn ich mal weggehe.«

»Na, wann denkst du denn?«

»Ich denke mir, so zu Johanni.«

»Hast du denn schon was?«

»Nein, noch nich, Mutter. Aber ich werd es nu in die Hand nehmen. Morgen und übermorgen sind Feiertage, da kommt keine Zeitung, aber den dritten Feiertag abends, da steht es drin. Und Verlobung haben wir nu gehabt, und nu is es an mir, nu werd ich es in die Hand nehmen.«

Die alte Runtschen hatte sich schließlich beruhigt und gab zu, dass Ulrike sehr anständig gehandelt habe. Sie hätte ja gar nichts zu teilen brauchen oder wenigstens mogeln können, aber daran war gar nicht zu denken, dazu war es viel zu viel. »Überhaupt, es is eigentlich ein gutes Kind, und bloß dass sie nur immer dran denkt, dass sie die dicken blonden Zöppe hat, Runtsch war schwarz, und ich erst recht; sie sagten immer die ›Schwarze‹; es muss aber doch so Bestimmung gewesen sein.« In dieser Richtung gingen die Gedanken der Alten, das Versöhnliche herrschte vor, aber auch wenn sie verbittert gewesen wäre, so hätte diese Verbitterung nicht anhalten können, weil sie vom frühen Morgen des andern Tages an ein Gegenstand besondrer Aufmerksamkeit im ganzen Schultzeschen Hause und in der Nachbarschaft war. Jeder wollte was wissen, und wohin sie kam, wollte man hören, wie die Verlobung gewesen wäre. Zu begreifen war es nicht, darin waren alle einig. Solch feiner Herr und ein Studierter und nu diese Thilde mit ihrem geelen Teint; und früher hatte sie auch noch Pickel; alle Morgen musste sie bei die Herrens rein machen und ausgießen und nu doch Braut, und eh Gott den Schaden besieht, steht sie da mit Atlas und Myrte. So hieß es bei den Portiersleuten und namentlich in dem Keller gegenüber, wo sie Sellerie, Petroleum und Semmelfrühstück holte.

Zuletzt kam sie zur Leutnant Petermann, und hier erst, weil diese wegen eines Unfalls am Abend vorher noch im Bette lag, blühte ihr Weizen.

»Gott, Frau Leutnant, Sie liegen noch; was is denn los?«

»Ach Runtschen, jetzt geht es ja wieder. Aber bis viere habe ich kein Auge zugetan. Solche furchtbaren Schmerzen ...«

»Hier?«

»Nein, hier nich. Diesmal nich. Das hätte bloß noch gefehlt, dass ich auch aufgemusst hätte bei dem kalten Fußboden und dem Zug draußen. Nein, hier ... Zahnschmerzen. Der halbe Backzahn is weg.«

»Na, aber wie denn?«

»Ja, wie das so geht. Da hatt ich mir nu das Bäumchen angesteckt und sein Bild druntergestellt und wollte seine Briefe noch mal lesen, das heißt, bloß die ersten, wo er noch wie rapplig war. Er war so. Und als ich da nu so sitze und lese und den Teller ranrücke und zu knabbern anfange, erst ein kleines Marzipanherz und dann eine Pfeffernuss und dann ein Stück Steinpflaster, da beiß ich in das Steinpflaster rein, grad an eine Mandelstelle, und da sitzt nu grade ein Stück Mandelschale, was man ja nich sehn kann, weil alles dieselbe Farbe hat, und weil ich scharf zubiss, war der halbe Zahn weg.«

»Un mit runtergeschluckt?«

»Nein, so weit kam es gar nicht. Es tat gleich so weh, und ich kriegte gleich solchen Schreck, dass ich darauf verzichtete. Und war immer, als säße noch was drin, und ich holte mir eine Stopfnadel. Aber da wurd es immer toller, und ich fing beinah an zu schrein. Ein Glück, dass ich warm Wasser im Ofen hatte. Da hab ich dann gespült und gespült, und nu hat es sich beruhigt. Und nu sagen Sie, Runtschen, wie war es eigentlich? Setzen Sie sich auf den Rohrstuhl, aber nicht zu nah, da neben den Ofen, ein bisschen Wärme wird er wohl noch haben.«

»Ja, Frau Leutnant, wie soll es gewesen sein? Sehr fein war es. Rechnungsrat Schultze war auch da ...«

»Mit ihr?«

»Nein.«

»Na, das konnt ich mir denken. Er nimmt es nicht so genau, die Rätin aber hält auf sich, wie alle Frauen. Und wer war denn noch da?«

»Ja, die Namens weiß ich nich, Frau Leutnant. Bloß eine Braut war noch da, die sie Fräulein Bella nannten, und alle sehr drum rum, weil sie sehr hübsch [war]. Schultze fand es auch, und was denken Sie wohl, was sie Ulrike gegeben hat? Die war nämlich auch mit da und musste runterleuchten.«

»Ja, wer will das sagen.«

»Einen richtigen Taler hat ihr das Fräulein gegeben.«

»Ach, das ist ja Unsinn.«

»Nein, Frau Leutnant, es ist so. Ulrike hat es mir alles erzählt und wird doch nich mehr gesagt haben, weil sie mit mir teilen musste. Das heißt, müssen war es eigentlich nich. Und wie Ulrike die Lampe hingesetzt hatte und aufschließen wollte, [sagte das Fräulein:] ›Hans, gib mir mal dein Portemonnaie‹, und dann nahm sie's heraus und sagte: ›Wir berechnen uns morgen.‹ Und es ist nur schade, dass es Schultze nicht mehr hörte, oder vielleicht war es auch nicht gut. Der war schon vorher ganz weg, und es war wohl gut für ihn, dass er allein gekommen war.«

»Und wie war denn die Braut? Was hatte sie an?«

»Ihr lila Seidnes mit 'm Einsatz.«

»Und war wohl eine große Zärtlichkeit? Solche, wie Fräulein Thilde, wenn's da mal kommt, die sind immer sehr zärtlich.«

»Nich dass ich sagen könnte, Frau Leutnant. Ich habe nichts gesehn, und die Wohnung ist so, dass man eigentlich alles sehn muss. Alles wie aufs Tempelhofer Feld und kein Vorhang und keine Schirme. Und Lichter waren überall. Fräulein Thilde war auch immer bloß um die Schüsseln rum und präsentierte, wenn Ulrike nicht da war, und der Herr Hugo, was der Bräutigam is, der stand immer so da und sah so genierlich vor sich hin, und als ein Ältlicher, aber noch nich so ältlich wie Schultze, das Brautpaar leben ließ, da sah er so verflixt aus, als wenn er nich so recht zufrieden wäre.«

»Kann ich mir denken.«

»Oder eigentlich bloß, als ob er gar nich so recht da wäre. Vielleicht is das noch so von seiner Krankheit, denn ein bisschen spack sieht er noch aus, oder vielleicht is es auch nich ganz richtig mit ihm.«

»Das is es, Runtschen; es ist nich ganz richtig mit ihm ... Und wenn Sie gehn, nehmen Sie sich das Steinpflaster mit, das noch neben dem Baum liegt, aber sehn Sie sich vor damit.«

»Ach, Frau Leutnant, bei mir is es nich mehr ängstlich.«

Thilde war am andern Morgen in einer gehobnen Stimmung. Sie war nun Braut, und das andre musste sich von selber geben. Solange sie bloß Fräulein Thilde war, die den Tee zu bringen und eine Bestellung auszurichten hatte, da lag die Sache noch schwierig genug, jetzt aber hatte sie das Recht, zu sprechen und zu handeln. Das mit den Theaterstücken war ein Unsinn und mit dem ewigen Lesen auch, und Rybinski und seine Braut — die ihr übrigens, trotzdem sie klar sah in allem, sehr gut gefallen hatte — mussten über kurz oder lang beseitigt werden. Rybinski war eine Gefahr, noch dazu eine komplizierte. Zunächst aber konnte von einem Vorgehn keine Rede sein, weil sie deutlich einsah, dass sie zur Erreichung ihrer Zwecke der Fortdauer guter Beziehungen zu Rybinski durchaus bedurfte. Wenn ihr feststand, wie sie Hugo zu trainieren habe, so stand ihr auch ebenso fest, dass sie so was wie Zuckerbrot beständig in Reserve haben müsse, um Hugo bei 5 Lust und Liebe zu erhalten, und dazu war Rybinski wie geschaffen. Überhaupt nur nichts Gewaltsames, nur nichts übereilen. Alles mit Erholungspausen.

Ihrem natürlichen Gefühle nach hätte sie den ersten Feiertag nicht vorübergehn lassen, ohne mit ihrem Bräutigam 10 über ihre Zukunft zu sprechen und ein bestimmtes Programm aufzustellen, aber in ihrer Klugheit empfand sie, dass etwas Nüchternes und Prosaisches darin liegen würde, den Tag nach der Verlobung, der noch dazu der erste Weihnachtsfeiertag war, zu Behandlung solcher Fragen heranzie- 15 hen zu wollen, und so bezwang sie sich und nahm sich vor, ihm eine Woche Weihnachtsferien zu bewilligen und ihn zu kleinen Vergnügungen anzuregen. Er sollte sehn, wie gut er's auch im Behaglichen getroffen habe und dass Thilde durchaus verstehe, sich seinen Wünschen anzupassen. Am Ende 20 dieser Ferienwoche wollte sie dann mit der Prosa herausrücken, unter Hinweis darauf, dass ohne Durchführung ihres Programms von Glück und Zufriedenheit und überhaupt von einem Zustandekommen ihrer Ehe gar keine Rede sein könne. 25

Zehntes Kapitel

Ja, diese Ferienwoche! Thilde war wie nicht zum Wiedererkennen und schien eine Verschwenderin geworden.

»Hugo, das ist nun unsre Flitterwoche, wenn ich mir solch Wort, das uns eigentlich nicht zukommt, erlauben darf. Aber 30 ich will es mir erlauben. Es ist so schön, solche Erinnerung zu haben, und ich denk es mir hübsch, wenn wir mal alt geworden sind, von solcher Zeit sprechen zu können. Und drum muss alles wie Sonnenschein sein, und wir wollen es so recht genießen.«

Hugo hielt Thildens Hand und sagte: »Das ist recht, Thilde; das freut mich, dass du so sprichst. Ich dachte, du hättest so nicht den rechten Sinn dafür, für die Freude, für das süße Nichtstun, was doch eigentlich das Beste bleibt.«

Thilde hielt es nicht für klug, ihn eines andern [zu] belehren; sie schwieg unter freundlichem Lächeln, und Hugo fuhr fort: »Und dachte, du wärest immer nur für Pflicht und Ordnung und Stundenhalten, was mir, sosehr es mir gefiel, doch auch wieder ängstlich war, weil man auch im Guten zu viel tun kann. Und nun sehe ich, dass ich eine heitre, lebenslustige Braut habe. Ja, das ist beinah mir die Hauptsache. Nun sage, was nehmen wir heute vor? Aber wähle nicht ängstlich und sprich nicht von Geld und bescheidnen Verhältnissen. Wenn man sich verlobt hat, da darf man in nichts ängstlich sein und muss einem zumute sein, wie wenn man das Tischleindeckedich hätte.«

»Nun«, sagte sie, »dann wollen wir ins Opernhaus, Proszeniumsloge. Vielleicht haben wir den Kaiser vis à vis.«

»Ach, Thilde, so darfst du nicht sprechen. Ein bisschen Spott ist gut, das kleidet. Aber nicht so. Da werd ich wieder irr an dir.«

»Nun, dann wollen wir zu Kroll und uns die Weihnachtspantomime ansehn.«

Er stimmte freudig zu, fragte dann aber: »Und die Mutter? Werden wir sie mitnehmen müssen?«

»Wir werden es ihr wenigstens anbieten müssen. Vielleicht, dass sie nein sagt. Ich bekenne, dass ich gerne mit dir allein wäre. Solche Freude genießt sich am schönsten zu zweien.«

Hugo war glücklich. Er entdeckte Seiten in seiner Braut, die ihm Perspektiven auf ein höheres und feineres Glück eröffneten, als er an jenem Abend des ersten Geständnisses erwartet hatte. Was damals in ihm lebte, war eine Dankbarkeit, war ein weiches, sentimentales Gefühl, in dem die voraufgegangne Krankheit noch nachspukte. Jetzt schien es ihm, dass Thilde warmer Gefühle fähig sei, vielleicht sogar einer Leidenschaft. Und seine Brust hob sich.

So begann die Festwoche. Man ging zu Kroll und vergnügte sich ganz leidlich, trotz Gegenwart der Mutter, die nach anfänglicher Ablehnung ihren Entschluss geändert hatte, als sie hörte, dass »Schneewittchen und die sieben Zwerge« gegeben würde. Thilde war eigentlich froh darüber; der Alten eine Freude zu machen war ihr eigentlich wichtiger als alles andre. Was sie da von »Genießen zu zweien« gesprochen hatte, war nur so hingesagt, weil sie wusste, dass Hugo gerne so was hörte.

Am zweiten Feiertage fuhr man in einer offnen Droschke, deren Vorbau den Wind abhalten musste, nach Charlottenburg hinaus, aber nicht die große Chaussee hinunter, sondern auf einem weiten Umwege erst an der Rousseau-Insel und dann am Neuen See vorüber. Auch hier war Mutter Möhring zugegen. Es war rührend, die alte Frau zu sehn. Am Neuen See stieg man einen Augenblick aus, um die Schlittschuhläufer besser zu sehn. Am meisten freute sie sich über die vielen Flaggen und Fahnen, aber bloß über die großen. Von den vielen kleinen meinte sie, sie sähn aus wie Taschentücher auf der Leine. Möhring habe auch solche bunten gehabt, weil er immer am Schnupfen gelitten habe.

So brachte jeder Tag was Neues. Das Glanzstück war aber ein Diner apart bei Hiller, zu dem auch Rybinski geladen war, natürlich mit Braut. Bei diesem Diner fehlte die Alte, weil sie, wohl in Folge der Fahrt durch den Tiergarten und zu langen Stehens im Schnee, um die Schlittschuhläufer besser sehn zu können, ihren Hexenschuss gekriegt hatte. Hugo war damit zufrieden und diesmal auch Thilde, die bald einsehn musste, dass Hiller kein Lokal für die Mutter war.

Rybinski sprach von seinen neuesten Bühnentriumphen

und machte damit einen großen Eindruck auf seinen Freund und Landsmann, was Thilde mit Sorge sah. Es kam ihr aber Hülfe. Bella, die die ganze Kunstfrage großartig superior behandelte, lachte beständig, wenn das Wort Talent fiel, und sagte, das gänzliche Fehlen davon sei es ja gerade, was ihr ihren Hans so unaussprechlich teuer mache. Talent! Talente gäbe es so viele, sie erschräke schon immer, wenn sie von einem neuen höre, aber es gäbe nur einen Hans von Rybinski. Der wöge ihr zehn Talente auf; sie sei für das schön Menschliche und in der Liebe für das Übermenschliche.

»Glaubt ihr nicht«, sagte Rybinski gutmütig, »mein Kosinsky hat ihr Herz erobert. Ein mir unvergesslicher Moment. An demselben Abende begann unser Glück.«

»Da sagt er die Wahrheit. Aber warum war es so? Als Kosinsky war er er selbst. Schade, dass die Rolle nicht bedeutender ist und dass man sie drüben nicht recht kennt. Ich ginge sonst mit ihm nach Amerika rüber, immer querdurch, und wenn wir bei San Francisco wieder herauskämen, wären wir Millionäre. Jeden Tag bloß Kosinsky mit Polenmütze und Silbersporen.«

Rybinski trank auf das Brautpaar, und Hugo hätte diesen Toast in gleicher Form eigentlich erwidern und auch von einem »Brautpaar« sprechen müssen. Das konnt er aber doch nicht übers Herz bringen und begnügte sich, die Kunst leben zu lassen und zwei liebenswürdige und befreundete Herzen und dergleichen mehr.

Und nun ging die Weihnachtswoche zu Rüste, der 31. Dezember war da, und die Frage war, ob man in eine Silvestervorstellung mit Schlussakt im Café Bauer gehn oder aber zu Hause bleiben und einen guten Punsch machen und gießen wolle. Man entschied sich für das Letztre, weil die alte Möhring zwar schon wieder außer Bett war, aber doch immer noch Schmerzen hatte. Geladen wurde nur der Vetter Architekt, und Ulrike sollte ganz wie am Weihnachtsabend aufwarten. »Die Alte kann ich nicht sehn«, hatte Hugo erklärt.

Das musste berücksichtigt werden, aber man wollte sie doch auch nicht ganz weglassen, und so saß sie draußen in der Küche und hielt den großen Blechlöffel, in dem Thilde das Blei schmolz. Als diese gegossen hatte, konnte nur noch die Frage sein, was es sei. Die Runtschen hielt es für eine »Krone«, Ulrike aber ging weiter und sprach von »Wiege«. Mathilde, die Verlegenwerden albern fand, bestritt Ulrikens Auslegung und behauptete nur, »das ginge nicht«, worauf Ulrike meinte: »Gott, Fräulein, es geht alles.« Denn Ulrike war eine sehr schlaue Person, die ihr Geschlecht kannte. Nur freilich bei Thilde verfing es nicht.

Diese ging mit der »Krone«, oder was es sonst war, in das Vorderzimmer zurück, wo man eine Weile weiterorakelte, bis Hugo die Gläser mit einem guten, nach eignem Rezept gemachten Punsch füllte. Seines Vaters Haus war berühmt in Punsch gewesen. Der Alte hatte solche Spezialitäten. Und nun nahm der Vetter Architekt wie schon am Weihnachtsabend wieder das Wort und trank auf ein glückliches neues [Jahr].

Es war noch nicht viel nach Mitternacht, als Mutter und Tochter wieder allein in ihrem Zimmer waren. Es war etwas stickig, eine merkwürdige Luftmischung von Punsch, Wachsstock und türk'schem Tabak, sodass Thilde sagte: »Mutter, wenn es dir nicht schadet, ich möchte wohl das Fenster noch ein bisschen aufmachen.«

»Ja, mach auf, Thilde. Was soll es mir am Ende schaden. Und dann ist mir auch so sonderbar zumut und so feierlich, und weil grade Neujahrsnacht ist, ich möchte wohl die Singuhr spielen hören. Die spielt immer so was Schönes und Frommes.«

Thilde rückte der Alten einen Lehnstuhl ans Fenster, aber so, dass sie der Zug nicht traf. Dann sagte sie: »Ja, Mutter, die Singuhr. Du denkst immer noch, du wohnst Stralauer Straße; da wohnen wir doch aber nich mehr. Und dann, Mitternacht is ja nu schon lange vorbei, und die Singuhr muss sich doch auch ein bisschen ausruhn.«

»Ja, du hast Recht, Thilde. Ich vergess es immer. Ich weiß nicht, ich bin doch noch nicht so alt, aber ich bin schon so taprig, mitunter denk ich, es is gar kein Unterschied mehr zwischen der Runtschen und mir.«

»Das musst du nich sagen, Mutter. Du hast überhaupt so was Kleines und Ängstliches. Und man muss sich nicht zu klein machen, dann machen einen die Leute immer noch kleiner.«

»Ja, das is schon richtig, aber man muss sich auch nich zu groß machen, und dass wir die Ulrike wieder hier hatten, die bloß immer die Augen so schmeißt und immer denkt, sie is es, und die alte Runtschen musste draußen sitzen und den Gieße-Löffel halten, und ich sah woll, wie ihr die Hand zitterte, weil sie recht gut gemerkt hat, dass wir sie hier vorne nich mehr sehn wollen — ja, Thilde, das is, wo ich so sage, man soll sich auch nich zu groß machen. Und wenn du sagen willst, dass wir es nich sind und dass bloß unser Herr Hugo es nich will, ja warum will er es nich? Dass sie das Pflaster hat, na, das is ein Unglück, und die meisten haben eins. Und ich sage dir, Hochmut kommt vorm Fall. Und so hoch ist er doch auch nich.«

»Ach, Mutter, was du da wieder alles redst. Na, nachher davon. Aber nu komm erst in die Schlafstube, hier zieht es doch ein bisschen. Und wenn du nicht willst, na, dann bleibe noch, aber das Fenster will ich wieder zumachen.«

»Ja, Thilde, das tu, ich kriege sonst mein Reißen wieder.«

»Und das mit der Runtschen und mit Hugo, da hast du ganz Unrecht, und ich freue mich, dass er so is, wie er is.«

»Ja, es is aber doch wie ein hartes Herz und eine Grausamkeit ...«

»Ach Unsinn, Mutter. Wenn d e r ein hartes Herz hat, hat jedes Kaninchen auch eins. Ein zu weiches Herz hat er, das is es, und das muss ich ihm abgewöhnen. Denn die, die ein zu weiches haben, sind immer faul und bequem und können auch nich anders, weil alles, was hier sitzt, keinen rechten Schlag hat.«

»Meinst du, Thilde?«

»Ja, Mutter, wenn man verlobt ist, hört man ja mitunter den Schlag, weil man sich so nahe kommt, und geht auch nicht anders, und wenn man anders wollte, so wär es wie Ziererei. Ja, was denkst du, was er für 'n Herzschlag hat? Wie 'ne Taschenuhr.«

»Am Ende war es auch so.«

»Nein, es war sein Herz. Und das einzige Gute ist, und deshalb is das so wichtig mit der Runtschen, wenn er was Hässliches sieht, dann schlägt es besser, und dann hat er ein starkes menschliches Gefühl und beinah männlich, und ein so guter Mensch er ist, das Liebste an ihm ist mir doch, dass er immer einen so furchtbaren Schreck kriegt, wenn er den Runtschen[schen] Kiepenhut sieht und all das andre. Es ist mir ja leid. Aber er steht mir doch näher, und du glaubst gar nich, wie wichtig das is. Sieh, Mutter, mit einem schwachen Menschen ist eigentlich nich recht was zu machen. Aber man muss auch nich zu viel verlangen, und wenn einer bloß so viel hat, dass er sagen kann: ›Thilde, die Runtschen muss draußen bleiben‹, so is das schon ganz gut. Denn wer so furchtbar gegen das Hässliche ist, der kommt auch zu Kräften, wenn er was sehr Hübsches sieht.«

»Ach, Thilde, das is ja das Allerschlimmste, das kenn ich auch, damit komme mir nich.«

»Ja, Mutter, gerade damit komm ich. Du denkst immer bloß an Ulriken und an Schultzen unten. Aber das is nich die richtige Hübschigkeit, das is, was man das Untre nennt …«

»Ja, ja.«

»Das Untre, das Niedre. Daneben gibt es aber auch was, das ist das Höhere. Und sieh, wer das hat, der kann auch das Schwache stark machen. Lange vor hält es wohl nich, aber es kommt doch, es ist doch da. Und wie er gegen das Hässliche is, so is er auch gegen das Schlechte, und wie er für das Hübsche is, für das richtige Hübsche, so is er auch für das Gute. Und ist sogar für Tugend, ich habe die Beweise davon. Und dies habe ich dir alles sagen müssen, damit du mir nicht wieder mit der Alten draußen kommst. Dass er so gegen die Runtschen is, das ist mein Hoffnungsanker. Und nu komm, Mutter, es ist ja schon über eins, und morgen is ein schwerer Tag für mich. Denn morgen is die Ferienwoche vorbei, und morgen muss ich ihn ins Gebet nehmen.«

»Ach Gott, Thilde, was soll nun wieder ins Gebet nehmen. Mitunter is mir doch recht bange. Und so geht es nun ins neue Jahr rein, und unser bisschen Erspartes wird immer weniger. Er is ja nich ein Studierter, er is ja doch bloß ein alter Studente.«

»Ja, das is er. Aber lass nur gut sein. Wenn ich auch nich viel aus ihm mache, so viel doch, dass ich ihn heiraten kann und dass ich dir alle Monate was schicken kann und dass ich einen Titel habe.«

Der erste Januar war ein wundervoller Wintertag, alles überreift und übereist, aber nicht sehr kalt und eine helle Sonne am blauen Himmel. Hugo war früh auf, so früh, dass Möhrings noch schliefen; er ging hinüber, klopfte an das Schlafzimmer, und als er Thildens etwas erschreckte Stimme gehört hatte, rief er durch die Türspalte, dass er sein Frühstück in den Zelten nehmen wolle. »Das tu«, sagte Thilde, während die Alte vor sich hin brummelte: »Jott, so fängt er nu an, so is nu Neujahr.« Hugo hörte aber nichts davon, er drückte schon die Entreetür ins Schloss und überließ es Thilden, die Alte ein bisschen zurechtzusetzen. »Mutter, mit dir is auch gar nichts; du denkst immer gleich an Feuermelder und Hinrichtung. Ich bin doch nu verlobt und seine Braut, und ich muss dir sagen, du musst nu wirklich ein bisschen anders werden.«

»Ja, ja, Thilde, ich will ja.«

»Sieh, du schadest uns. Ich habe dir neulich gesagt, wir seien keine ›kleinen Leute‹, die Runtschen sei kleine Leut, und das ist auch richtig, aber wenn du immer gleich so weimerst, dann sind wir auch ›kleine Leute‹. Wir müssen nu doch ein bisschen forscher sein und so, was man sagt, einen guten Eindruck machen …«

»Ach, Thilde, es kost' ja alles so viel. Wo soll es denn herkommen.«

»Dafür will ich schon sorgen. Und wenn nicht einen forschen Eindruck, so doch einen anständigen und gebildeten. Aber weimern is ungebildet.«

»Un so fängt nu das neue Jahr an«, wiederholte die Alte, »so mit Zank und Streit und mit In-die-Zelten. Und ich glaube, so früh kriegt er noch gar keinen Kaffee. Die Zelten sind ja bloß für Nachmittag.«

»Ach, er wird sich schon durchschlagen; in so was is er findig.«

Hugo genoss den schönen Morgen. Er war glücklich, mal wieder einen weiten Spaziergang machen zu können, denn seit dem Tage, dass er krank wurde, war er nicht hinausgekommen. Er freute sich über alles und wusste nur nicht recht, ob es das Bräutigamsgefühl oder bloß das Rekonvaleszentengefühl sei. »Es wird wohl das Rekonvaleszentengefühl sein, aber es ist am Ende gleich.« Er ging bis über Bellevue hinaus, und erst auf dem Rückwege machte er sich's in dem mittleren Zelte, wo der Alte Fritze mit dem Krückstock an der Barre steht, bequem. Dabei hing er seinen Gedanken nach und überlegte: »Heute früh kriegen sie nun meinen Brief, Mutter und Schwester, und dann wird es ein großes Gerede geben. Aurelie ist ein sehr gutes Mädchen und auch nicht eng und nicht kleinlich, aber sie hat doch so 'n sonderbares Honoratiorengefühl, oder eigentlich nicht sonderbar. Und wenn sie nu liest, dass ich mich mit einer Chambre-garnie-Tochter verlobt habe, so wird sie die Nase rümpfen und von Philöse sprechen. Und vielleicht schreibt sie mir auch so was. Na, ich muss es hinnehmen. Möhrings sind sehr gut, auch die Alte so auf ihre Art, aber wenn sich einer mokieren will, dann kann er's. Schließlich schadet es nichts. Man kann sich über alles mokieren. Und wenn Aurelie Thilden sieht, wird sie sich vielleicht auch wundern. Thilde hat nichts Verführerisches, aber das ist doch auch ein Glück; wenn sie so was hätte, wohin sollte das sonst führen, bei so weiten Aussichten und so täglichem Verkehr. Und auch schon jetzt, ich muss mich vor Intimitäten hüten. Sie hat was Herbes, aber das kann angelegte Rüstung sein. Im Übrigen weiß ich, was ich mir und andern schuldig bin.«

Es war schon zwölf, als er wieder nach Hause kam. Er hatte noch an der Ecke der Friedrichsstraße eine Litfaßsäule durchstudiert und war zu dem Resultat gekommen, dass sie den Abend über in den Reichshallen verbringen wollten, wo eine Luftkünstlerin merkwürdige Sachen aufführen wollte. Sie war auch abgebildet auf dem Zettel, ein leichtes Kostüm, eigentlich nur eine Andeutung, und flog durch die Luft. »Ich sehe gern so was«, sagte er, als er von der Säule her in die Friedrichsstraße einbog. »Es ist sonderbar, dass mir alles Praktische so sehr widerstreitet. Man kann es eine Schwäche nennen, aber vielleicht ist es auch eine Stärke. Wenn ich solche schöne Person durch die Luft fliegen sehe, bin ich wie benommen und eigentlich beinah glücklich. Ich hätte doch wohl so was werden müssen, ausübender Künstler oder Luftschiffer oder irgendwas recht Phantastisches. Oder Tierbändiger, das hat von klein an einen besondern Reiz für mich gehabt. Es soll auch alles nicht so gefährlich sein, wie's aussieht; sie machen sich etwas Moschus oder Zibet ins Haar, dann schnappt er nicht zu. Gott, wenn Thilde wüsste, dass ich so verwogne Gedanken habe. Nun, Gedanken sind zollfrei, und es zieht nur so über mich hin. Wenn ich ernsthaft zusehe, seh ich, dass alles lächerlich ist. Tierbändiger. Und dabei hat mich Thilde in Händen; sie denkt, ich merke es nicht, aber ich merke es recht gut. Ich lass es gehn, weil ich es so am besten finde. Schließlich is man, wie man is ... Und wenn ich nur so leidlich bequem durchkomme ...«

Bei dieser Stelle seiner Betrachtung war er bis vor Schultzes Palazzo angelangt und sah hinauf. Schultze stand in Samtschlafrock und türkischem Fez am Fenster und grüßte gnädig hinunter, wobei er seinen Fez zog. Hugo erwiderte den Gruß, war aber nicht sehr erbaut davon, weil sich in dem Ganzen was von Überhebung aussprach, jedenfalls nicht viel Respekt. Und nun stieg er hinauf. Das Messingschild eine Treppe hoch war glänzend geputzt, und ein Hausmädchen mit kokettem Häubchen und Tändelschürze, das Schultze selbst ausgewählt hatte, stand auf dem Vorflur am Treppengeländer und sah in den Hausflur hinunter. Als Hugo vorüberging, wandte sie sich und grüßte sehr artig, aber mit einem Gefühl von Überlegenheit über ihn oder eigentlich über Thilde. Hugo fühlte es heraus und kam ziemlich kleinlaut oben an. Ein Glück war, dass er solchen Stimmungen ebenso rasch entrissen werden konnte, wie sie ihm kamen. Als er oben war, dachte er wieder an die Reichshallen und das Bild auf dem Zettel, und wieder gehoben in seiner Stimmung, trat er in das Entree, legte den Überzieher ab und ging zu Möhrings hinüber.

Er fand nur Thilde, die merkwürdig gut aussah und sich ihm in einem neuen Kleide präsentierte. Die Alte war nicht da.

»Guten Tag, Thilde, und viel Glück zum Neujahr. Aber wo ist denn die Mutter?«

»Die wollte zwei Neujahrsbesuche machen bei Schmädickes und bei Donners. Das sind noch alte Hausbekannte, als wir noch in der Stralauer Straße wohnten.«

»Davon hab ich ja nie gehört.«

»Kann auch nicht. Sie machen sich nichts aus uns, und wir machen uns nichts aus ihnen, sehr langweilig und sehr ungebildet, aber Mutter hat so alte Sätze: ›Man soll alte gute Freunde nicht aufgeben‹, als ob es alte Freunde wären. Aber es sind keine, bloß alt sind sie, das is richtig, aber alle Neujahr geht Mutter hin. Ich denke mir, es is ein bisschen Neugier. Und nu sage, wo warst du?«

Hugo berichtete getreulich, und während sich Thilde auf das Sofa und Hugo dicht neben sie setzte, sprach er auch von der Litfaßsäule und dass sie heut Abend in die Reichshallen wollten, da wäre die »Tochter der Luft«, eine pompöse Person und doch ganz ätherisch. Die Mutter könne ja gut mitkommen.

Thilde sah ihn an und lächelte. Dann nahm sie seine Hand und sagte: »Reichshallen. Nein, Hugo, das ist nun vorbei. Wir waren nu von Heiligabend bis Silvester jeden Tag aus oder hatten unsern Punsch, und einmal waren wir in einem ganz feinen Lokal, ich möchte beinah sagen über unsren Stand und unsre Verhältnisse; aber nun ist es genug, und nu müssen wir anfangen.

»Ja womit denn, Thilde?«

»Nimm es mir nicht übel, aber so was kannst nur du fragen. Willst du mir erlauben, dir offen meine Meinung zu sagen, und willst du mir versprechen, mir nichts übel zu nehmen und von vornherein davon auszugehn, dass ich's gut meine mit dir und allerdings auch mit mir.«

»Gewiss, Thilde. Sprich nur, ich weiß ja, dass es immer was Vernünftiges ist, was du sagst. Mitunter ein bisschen zu sehr. Aber in dieser Woche habe ich dich auch von der lebelustigen Seite kennen gelernt.«

»Und das sollst du auch weiter, Hugo. Ich bin gar nicht so schlimm und so schrecklich vernünftig, wie manche glauben. Ich bin auch für Sichputzen und für Vergnügungen. Aber mit Arbeit muss es anfangen. Dass wir arme Leute sind, weißt du, und dass du nicht reich bist, weißt du auch. Zweimal null macht null. Und mit Null kann man nicht in teure Lokale gehn und nicht einmal die Tochter der Luft sehn. Wir sind nun verlobt, und ich bin glücklich, einen so guten und einen so hübschen Mann zu haben, und bin sicher, dass ihn mir viele nicht gönnen, die Rätin unten gewiss nicht und die Frau Leutnant Petermann auch nicht. Das sind neidische alte Weiber. Und das schöne blonde Frauenzimmer unten mit der Spitzhaube sieht mich auch immer so an. Nu, Neid macht glücklich, und ich bin es. Aber Stillstand ist Rückschritt, sagte meine Vater das Jahr vor seinem Tode, als er keine Weihnachtszulage gekriegt hatte.«

»Du hast ganz Recht«, unterbrach Hugo.

»Freilich hab ich Recht. Aber du sagst das nur, weil du nicht weiter zuhören willst. Ich weiß das. All so was, was doch schließlich wichtiger ist als Kosinsky, womit ich aber nichts gegen unsren Schiller gesagt haben will, all so was hörst du nicht gern, es soll alles bloß hübsch aussehn und glattgehn und bequem sein. Nu gewiss, Bequemlichkeit ist immer das Bequemste, versteht sich, und ich kann dir sagen, wenn früher die Herren um sieben ihren Kaffee wollten, und einen hatten wir, der war schon immer um Klock sechse auf, und ich musste dann raus und Kien spalten und mit einem Tuch übern Kopf zu Bäcker Pfannschmidt, um die Semmeln zu holen, ich kann dir sagen, da hätt ich mich auch lieber noch mal rumgedreht und das Kissen übers Kinn gezogen, denn es war ein bitterkalter Winter, und ich bibberte man so …«

»Na, Thilde, das is nu vorbei.«

»Ja, das sagst du so hin, vorbei. Was heißt vorbei. Verlobt sind wir, das heißt also, wir wollen doch mal heiraten und in eine christliche Ehe eintreten. Darum muss ich bitten. Komme mir nicht so mit so bloß drüberhin. Dafür bin ich nicht. Alles muss sein Vergnügen haben, aber auch seinen Ernst. Und der Ernst kommt erst. Und da wir doch nicht als Herr und Frau Student oder Kandidat, was eigentlich dasselbe ist, durch die Welt gehen können, schon deshalb nicht, weil, wer kein Amt und keinen Dienst hat, auch kein dienstliches Einkommen hat, was wir doch haben müssen, wenn wir leben wollen und eine Familie bilden wollen ...«

»Ach, Thilde, das ist ja noch weit hin ...«

»... Also leben wollen, so musst du für das sorgen, was zum Leben nötig ist, das heißt, du musst nun endlich dein Examen machen und nicht immer die Bücher beiseite schieben und die ›Gespenster‹ lesen, was übrigens, wie es sein Titel schon ausdrückt, ein greuliches Stück ist. Dein Examen machen, sag ich, je eher, je lieber. Und von morgen ab wird angefangen ...«

»Aber wie denn?«

»Ganz einfach. Statt an die Reichshallen und die Tochter der Luft zu denken, denkst du an dein Repetitorium, was du während deiner Krankheit ganz vergessen hast, und schon vorher war es auch nicht viel, und du bezahltest bloß und gingst spazieren. Aber nun musst du wirklich hingehn. Und abends, ihr habt da ja solche Fragehefte mit beigeschriebner Antwort, was ich alles auf deinem Stehpult habe liegen sehn, abends kommst du zu Mutter und mir herüber und kannst dich auch auf die Chaiselongue legen, wenn es dir passt, und dich mit deiner alten Reisedecke, mit dem Löwen drauf, zudecken. Und wenn du so daliegst, werd ich dir die Künste abfragen und nicht eher ruhen, als bis du mir Red und Antwort stehen kannst und alles ganz genau weißt wie am Schnürchen.«

»Aber Thilde.«

»Verlass dich drauf. Wenn es was werden soll, so kommst du und legst dich hin oder kannst auch sitzen bleiben, und ich frage dich. Und heute Abend, wenn dir so sehr daran liegt, kannst du noch mal die ›Tochter der Luft‹ sehn. Aber i c h gehe nicht mit, ich habe vorläufig keinen Sinn für dergleichen, und morgen Abend fangen wir an.«

Elftes Kapitel

Hugo wusste nicht recht, ob er froh oder verstimmt sein sollte. So schwach war er nicht, um nicht einzusehn, dass Thilde mit ihm machte, was sie lustig war, und so uneinsichtig war er nicht, dass er das sehr Unheldische seiner Situation nicht herausgefühlt hätte. Ja, das hätte nicht sein sollen. Aber das waren nur kurze Anwandlungen, eigentlich war er froh, dass jemand da war, der ihn nach links oder rechts dirigierte, wie's grade passte. Dass es gut gemeint war und dass er dabei vorwärts kam, empfand er jeden Augenblick, und was ihm über gelegentliche Missstimmungen am besten forthalf, war die Beobachtung der Methode, nach der Thilde mit ihm verfuhr. In seinem ästhetischen Sinn, der sich an Finessen erfreuen konnte, sah er mit einem gewissen künstlerischen Behagen auf die Methode, nach der Thilde verfuhr, und freute sich der Erleichterungen, die das pädagogische Verfahren ihm unmittelbar gewährte. Es stand nämlich für Thilde fest, dass sie sich hüten müsse, seiner Tragekraft mehr zuzumuten, als diese doch nur schwache Kraft beim besten Willen leisten konnte, weshalb sie mit Klugheit und Geschick für Unterbrechungen Sorge trug oder, wie sie sich scherzhaft ausdrückte, für »Entrefilets«, ein Wort, das sie sich aus Hugos etwas feuilletonistischem Sprachschatz angeeignet hatte. Wenn das Examinieren, das sie nach Möglichkeit in ein quickes Frage-und-Antwort-Spiel verwandelte, bedrücklich zu werden anfing und sich in Hugo[s] Zügen etwas von Ermüdung zeigte, so brachte sie ein Glas Tee oder Rotwein oder eine Ingwertüte, und während sie ihm daraus präsentierte und auch wohl selber ein Stückchen nahm und von den Molukken sprach, wo der Ingwer am besten eingemacht würde und wo sie von China her (oder vielleicht würden sie auch nachgemacht) auch die großen blaugeblümten Porzellankrüge hätten, glitt sie zu Tagesfragen über und las ihm von Christenverfolgungen in China vor oder von den Franzosen in Annam und

Tonkin oder von dem Kriege, den die Holländer mit den Eingebornen führen müssten. Die Japaner seien den Chinesen doch weit voraus, und ein Volk, das solche Naturbeobachtung habe und solche Blumen und solche Vögel machen könne, das repräsentiere doch eine allerhöchste Kultur, was man jedem Teebrett absehen könne. Dabei wolle sie noch nicht einmal von dem Lack sprechen, der doch auch unerreicht dastehe. Dabei war Thilde groß in Übergängen, und wenn sie so mit Hülfe der Ingwertüte bei den Molukken und Japan und China begonnen hatte, war es ihr ein Leichtes, sich bis zu Kroll und der Sembrich und sogar bis zu Rybinski zurückzufinden, und wenn sie dann noch was Pikantes, das sie eigens für Hugo sammelte, zum Besten gegeben und ihn erfrischt hatte, sagte sie: »Nun aber, bricht Verkauf Miete oder nicht?«

Und Hugo ging dann mit wiedergewonnener Kraft ins Feuer und antwortete mitunter so gut, dass Thilde ihre helle Freude hatte.

Die alte Möhring war immer dabei, schon weil sie nicht wusste, wo sie hinsollte. So kam Ende Januar heran, und als eines Abends um die zehnte Stunde Hugo das Zimmer verlassen und Thilde die Gläser und Tassen beiseite geräumt hatte, sagte die Alte, während sie sich auf eine Fußbank und mit dem Rücken an den Ofen setzte: »Sage mal, Thilde, lernt er denn gut?«

Thilde: »O ganz gut, Mutter, eigentlich besser, als ich dachte.«

Die Alte: »Ja, ja, es kommt mir auch so vor, und er is auch ein bisschen viviger, als er eigentlich is. Aber du kommst immer mit so viel dazwischen.«

»Wie denn?«

»Mit so viel von Theater und Bella. Mir is, was so zwischenkommt, immer das Liebste, und wenn gar nichts zwischenkäme, so ging' ich zu Bett. Aber es is doch woll nich richtig, dass immer so viel zwischenkommt.«

Thilde lachte. »Nein, Mutter, es ist ganz richtig so. Sieh mal, es ist so. Wenn ich heute noch nach Spandau gehen soll, na, dann zieh ich mir meinen Gummimantel über und nehme den Regenschirm und staple los; und in Charlottenburg lehne ich mich mal an und sehe nach 's Schloss rüber und was die Uhr ist, und um zwölf bin ich in Spandau, und um vier bin ich wieder hier und bringe dir deinen Kaffee.«

»Ja, Thilde, das glaub ich schon. Aber was meinst du nu eigentlich?«

»Und nu nimm mal [an], dass du gehen sollst, auch nach Spandau. Na, bis vors Brandenburger Tor kommst du mit einem Zug, und dann setzt du dich auf die erste Bank, gleich da, wo die kleinen Springbrunnen sind. Und wenn du dich ausgeruht hast, dann geht es weiter, [dann] kommst du bis an den Kleinen Stern und dann bis an den Großen Stern und dann bis an die Chausseehäuser. Und überall ist 'ne Bank und kannst dich ausruhn, und so kommst du nach Spandau. Sagen wir gegen Abend. Aber du kommst doch an. Und ohne Ruhebank wärst du liegen geblieben und gar nicht angekommen.«

»Ja so, nu versteh ich. Ohne die Banke kommt er nich an. Na, wenn er bloß ankommt.«

Thilde: »Er wird schon.«

Und richtig, es kam. Hugo bestand. Er hatte zwar nur das Notdürftige gewusst, es trotzdem aber erzwungen. Dasitzend wie Hus auf dem Konzil zu Kostnitz, ernst, schwärmerisch und bescheiden, halb tapfer und halb angstvoll, war es diese Haltung gewesen, die schließlich alles zum Guten geführt hatte. Seine Persönlichkeit hatte gesiegt. Einer der Herren Examinatoren nahm ihn beiseite und sagte: »Lieber Großmann, es war alles gut, ich gratuliere Ihnen.«

In einem merkwürdigen Seelenzustande, gehoben und doch auch gedrückt (gedrückt, weil er an die Zukunft dachte), kam er nach Haus und sah sich dieser Stimmung erst entrissen, als er hier Mutter und Tochter begegnete. Thilde, deren Auge leuchtete, blieb verhältnismäßig ruhig, der Gefahr aber, von der Alten geküsst zu werden, entging er nur mit genauer Not im letzten Augenblicke durch Rückzug in sein Zimmer. Mutter Möhring war das nicht recht, und weil sie wie die meisten alten Berlinerinnen das Bedürfnis der Aussprache hatte, musste nun Thilde alles mit anhören, was der Alten auf der Seele brannte. »Gott sei Dank, Thilde, nu kann man doch wieder ruhig schlafen und weiß auch, was aus einem wird. Denn gut is er doch eigentlich und wird eine alte Frau nich umkommen lassen.«

Hugo schrieb Briefe nach Haus und auch ein paar Zeilen an Rybinski, um ihn wissen zu lassen, dass alles gut abgelaufen.

Als er gegen sieben wieder hinüberging, fand er ein kleines Souper vor, das Thilde samt einer Flasche Rüdesheimer, mit einer aufgeklebten Rheingaulandschaft als Beweis ihrer Echtheit, aus einem benachbarten großen Restaurant herbeigeschafft hatte. Das Aufmerksame, das darin lag, und beinah mehr noch der gute Geschmack, mit dem alles arrangiert worden war, blieben nicht ohne Wirkung auf Hugo, der sich plötzlich von dem Gefühl ergriffen sah, doch vielleicht in seinem dunklen Drange das Rechte getroffen zu haben; gewiss, es waren einfache Menschen, etwas unter Stand, doch gut und ordentlich und zuverlässig, und alles andre war ja nur Schein, Plattiertheit, und er reichte über den Tisch hin Thilden die Hand, wie wenn er sagen wollte: »Wir verstehen uns.« Dann ließ er sich's schmecken, und als er den sich wiederholenden Widerstand der alten Möhring, die jedesmal die Hand über das Glas hielt, endlich siegreich aus dem Felde geschlagen und auch ihr von dem goldgelben Wein eingeschenkt hatte, verstieg er sich bis zu einem launigen Toast, darin er die gute Möhring mit dem guten Examinator geschickt verglich und verband und beide leben ließ. Nach

Tisch brachte Thilde den Kaffee, der zu Ehren des Tages von einer Extrastärke war. »Höre, Thilde, der geht aber ins Blut; ich kriege dann immer solch Jucken.«

»Ach, lass nur, Mutter, wenn er nur schmeckt.«

»Ja, schmecken tut er, und stark is er, oder wie Möhring immer sagte: ›Mutter, da is keine Bohne vorbeigesprungen.‹ Jott, wenn ich so an Vatern denke; was würde der woll gesagt haben.« Und nun musste sich Hugo in einen Großvaterstuhl setzen und genau berichten, wie's eigentlich gewesen wäre, ja, Thilde fragte sogar, ob er auch nicht zu sicher geantwortet hätte, sie habe mal gehört, das könnten die Herren nicht leiden. Hugo beruhigte sie hierüber, und als alles erzählt und im Vorbeigehn auch erwähnt war, dass er gleich an seine Mutter und Schwester nach Owinsk hin geschrieben habe, kam er überhaupt auf Owinsk und seine Jugend und sein elterliches Haus zu sprechen und welch forsches Leben sie da geführt hätten. Burgemeister und Apotheker und Rechtsanwälte, die lebten immer am forschesten, weil sie das meiste Geld hätten, und eigentlich sei solch kleinstädtisches Leben viel vergnüglicher als ein Leben in der großen Stadt, denn immer sei was los, und wenn sie nicht Skat spielten, so spielten sie Theater, und wenn nicht Ball wäre, so wäre Schlittenbahn, und dann bimmelte das Schellengeläut den ganzen Nachmittag, und die Schneedecken flögen, und die hübschen Frauen, denn in den kleinen Städten gäbe es immer hübsche Frauen, hätten die Hand im Muff und, wenn es sehr kalt wäre, auch die Hand von ihrem Partner dazu.

»Jott«, sagte die alte Möhring, »was heißt Partner? wo sind denn die richtigen Männer, die dazu gehören?«

»Die sind in einem andern Schlitten.«

Hugo plauderte noch so weiter, und es gelang ihm, auch Thilden ein kleines Lächeln abzugewinnen. Die Moralia von Owinsk waren ihr um so weniger ängstlich, als sie sich überzeugt hielt, dass ihres Bräutigams Hand nie in solchem Muff gesteckt hatte. Hugo malte nur gern so was aus, weil er es hübsch fand, aber es lag nicht in ihm, solche Bilder in Taten umzusetzen. All das wusste Thilde recht gut, die denn auch, statt sich mit Eifersucht zu quälen, aus Hugos Schilderungen des Owinsker Lebens nur das heraushörte, was sie für ihre eigenen Pläne brauchen konnte. Was immer in ihr festgestanden hatte, dass Hugo in eine kleine Stadt und nicht in eine große gehöre, das stand ihr jetzt fester denn je.

Hugo selbst zog sich früh zurück, es konnte kaum neun sein, denn wenn auch siegreich, es war doch ein heißer Tag gewesen. Aber er mochte noch nicht schlafen und ging auf und ab in seinem Zimmer. Alles in allem war ihm nicht sehr siegerhaft zumut. Er war nun Referendar, alles ganz gut, aber nun blieb noch der Assessor, und wenn er daran dachte, dass diese zweite Weghälfte notorisch viel, viel steiniger sei, so überkam ihn dasselbe Angstgefühl wieder, das er schon auf dem Heimwege von der Examinationsstätte bis zur Georgenstraße gehabt hatte. Mit Thilde war nicht zu spaßen; und er rechnete mit halber Gewissheit darauf, dass Thilde vielleicht morgen schon das am Neujahrstage mit ihm geführte Gespräch wiederholen und ihm zum zweiten Mal die Epistel lesen würde, vielleicht unter Wiederbewilligung einer Ferienwoche. Dann nahm das Repetieren bei Tag und das Frag-und-Antwort-Spiel bei Abend wieder seinen Anfang, und er erschrak davor und zweifelte, dass er's überwinden werde. Vielleicht wär es besser gewesen, er wäre durchgefallen, dann war die ganze Quälerei vorbei. Verlobt war er freilich, aber doch erst ein Vierteljahr, das wollte nicht viel sagen, und am Ende — musst es denn grade die Juristerei sein, die so gar nicht zu ihm passte, weil alles so steif und hölzern war? Rybinski lebte doch auch. Und wenn er auf der Posener Bahn fuhr (dessen entsann er sich jetzt mit Vorliebe) und an den kleinen Stationen vorüberkam, wo das Bahnhofsgebäude halb in wildem Wein lag und der Bahnhofsinspektor in seiner roten Mütze den Zug abschritt, während eine junge Frau mit einem Blondkopf neben sich halb neugierig und halb gelangweilt aus dem Fenster der kleinen Beletage sah, Gott, da war ihm schon manch liebes Mal der Gedanke gekommen: ja, warum nicht Bahnhofsinspektor? Und dieser Gedanke kam ihm wieder. Und wenn nicht Bahnhofsinspektor, warum nicht Schuppeninspizient oder Telegraphist; das bisschen Tippen muss sich doch am Ende lernen lassen, und mitunter kommt auch mal ein interessantes Telegramm, und man gewinnt Einsicht in allerlei.

Diesen Betrachtungen hingegeben, wurd er ruhiger und schlief ein. Aber am andern Morgen war die alte Sorge wieder da, und er war verlegen, als ihm Thilde seinen Kaffee, den er noch immer allein nahm, in sein Zimmer brachte.

»Guten Morgen, Hugo. Sieh, wie prächtig die Sonne scheint, das ist dir zu Ehren. Und es ist auch warm draußen, du solltest spazieren gehn und dich nach all den Strapazen erholen. Denn wenn einer auch noch so tapfer ist« (und sie lächelte dabei), »vor einem Examen hat doch jeder Furcht. Gehen macht wieder frisch, und bring uns ein paar Neuigkeiten mit. Ich glaube, deine ›Tochter der Luft‹ ist nicht mehr da, sonst ließe sich darüber reden, und wir könnten heut Abend vielleicht hingehn. Heute Vormittag muss ich in die Stadt. Soll ich dir etwas mitbringen? Oder hast du auf was Appetit? Mein lieber alter Mensch, du bist doch recht blass geworden.« Und dabei gab sie ihm einen Kuss mit ihren schmalen Lippen und ging dann und nickte ihm von der Tür her noch mal freundlich zu.

»Merkwürdiges Mädchen«, sagte Hugo, »so gut und so tüchtig; aber Küssen is nicht ihre Force. Nu, man kann nicht alles verlangen, und jedenfalls bin ich froh, dass sie nicht gleich wieder davon angefangen hat. Es wird wohl nur eine Galgenfrist sein. Aber wie viel Tage hat denn das Leben? Und ein Tag ist schon immer was.«

Hugos Befürchtungen schienen sich nicht erfüllen zu sollen. Das Examen war Ende März gewesen, und schon war Mitte April, ohne dass Thilde von Assessor-Examen und

Vorbereitung dazu gesprochen hätte. Sie ließ es gehn, war voll kleiner Aufmerksamkeiten, unter denen Stücke vorlesen aus klein gedruckten Reclamschen Zwei-Groschen-Ausgaben obenan stand, und hatte sich nur darin geändert, dass sie minder häuslich schien als früher und jeden Vormittag ein paar Stunden in der Stadt war. Hugo selbst kümmerte sich nicht darum und auch kaum die Alte, bis diese eines Tages fragte: »Thilde, du bist jetzt immer gerade weg, wenn die Runtschen kommt und reine macht. Ich will nichts sagen, aber sie rennt immer gegen, weil sie nich sehen kann, und schlägt alles entzwei, heute wieder die grüne Lampenglocke.«

»Ja, das is schlimm, Mutter.«

»Wo gehst du denn eigentlich immer hin, Thilde?«

»Lesehalle für Frauen.«

»Und da?«

»Da les ich Zeitungen.«

»Aber Hugo kriegt ja doch jeden Tag eine.«

»Freilich. Aber eine is nicht genug; ich brauche viele.«

»Na, wenn du meinst; für mich wär es nichts.«

Und dabei blieb es. Die Alte kam nicht wieder darauf zurück, bis eine Woche später diese halb geheimnisvolle Zeitungsleserei, auch ohne weitere Frage, ihre Erklärung fand.

Es war ein Sonntag, an welchem Tage die Lesehalle nur von elf bis eins auf war, und um eineinhalb war Thilde wieder zu Haus.

»Guten Tag, Mutter. Es riecht ein bisschen nach verbrannt. Du hast wohl nich recht nachgesehn. Na, Hugo merkt es nicht. Und wenn auch, er isst ja die verbrannten Stellen am liebsten und sagt dann bloß immer: ›Da is nu alles Animalische raus.‹«

»Ja, ja, so was sagt er, und ich hab ihn schon immer danach fragen wollen. Aber dann dacht ich auch wieder, ›lieber nich‹.«

»Und das war auch am besten so. Nicht fragen ist immer

besser. Aber bist du denn gar nich in die Küche gekommen?«

»Ja, Thilde, jetzt eben. Und da hab ich es auch gleich gemerkt und hab ein paar Kohlen rausgenommen und hab auch aufgegossen. Und geärgert hab ich mich auch, denn es kost' ja so viel, aber ich konnte nicht eher rausgehn, weil die Schmädicke hier war.«

»Na, die hätt auch wegbleiben können. Die Schmädicke bedeutet nie was Gutes und kommt immer bloß aus Neugier oder aus Boshaftigkeit und um einem armen Menschen einen Floh ins Ohr zu setzen.«

»Ach, Thilde, da tust du ihr aber Unrecht, wenigstens heute. Sie kam bloß, um uns zu gratulieren von wegen Hugos Examen, und wann denn nu Hochzeit sei …«

»Und da hast du gesagt, noch lange nich. Nich wahr? Kann ich mir denken. Denn du bist ewig in einer Todesangst und glaubst immer noch, es wird nichts werden und alles ist umsonst gewesen und alles ausgegeben. Das is immer deine Hauptangst. Und wenn du diese Angst kriegst, dann machst du dich klein und jämmerlich und auch vor solcher Person wie diese Schmädicke, diese spitznasige Posamentierswitwe.«

»Nein, Thilde, das hab ich nich gesagt, ich habe nicht gesagt ›noch lange nich‹, ich habe bloß gesagt, ich wüsste es nich, aber du tätst mitunter so, als ob es woll bald losgehen würde.«

»Und da? Was sagte sie da?«

»Nu, da sagte sie: ›Ja, liebe Frau Möhring, manche haben Courage. Referendar is nich viel und eigentlich bloß ein Anfang, aber aller Anfang is schwer, und so kann man sagen, es is immer was, und Minister wird er ja woll nich werden wollen. Oder vielleicht doch. Und Jott, wenn ich mir denn Thilden denke …‹«

»Das sagte sie?«

»Ja, Thilde, so was war es.«

»Unverschämte Person. Und dumm dazu. Diese verflossene Gimpen-Madam. Aber sie wird sich wundern, wenn wir ihr die Hochzeitsanzeige schicken.«

»Ach Thilde, rede doch nich so was. Wenn man so was redt, dann beredt man's, und es wird nie was. Und es hat doch schon so viel gekostet, und ich weiß mitunter gar nich, wo's immer noch herkommt.«

»Ja, Mutter, ich kann hexen.«

»Jott, Kind, nu redst du auch noch so. Wenn man den Deibel ruft, is er da. Und zum Spaß darfst du doch so was nich sagen in einer so ernsthaftigen Sache. Vater sagte auch immer: ›Ja, die Leuten glauben, es is ein Vergnügen; aber es is kein Vergnügen, und der Hochzeitstag ist der ernsthafteste Tag, und manche, die sich nich recht trauen, sehen auch schon so aus.‹ Und nu sprichst du von Hexen und tust, als ob alles schon da wäre und als ob es zu Johanni losginge.«

»Geht es auch, Mutter.«

»Jott, Thilde, das fährt mir ja in alle Glieder. Denn du stehst ja so da, wie wenn du's alles schon in der Tasche hättest ...«

»Hab ich auch.«

Und dabei holte Thilde einen halben, zweimal zusammengefalteten Konzeptbogen aus der Kleidertasche, schlug ihn auseinander und sagte: »Nu lies mal, Mutter.«

»Ach, wie kann ich denn lesen, und alles mit Bleistift geschrieben, und ohne Brille.«

»Nun, dann höre zu, dann will ich lesen.«

Und Thilde las: »Qualifizierte Personen ... verstehst du, Mutter?«

»O ganz gut, lies nur weiter.«

»Qualifizierte Personen, das heißt Personen, die mindestens das erste Staatsexamen bestanden haben und darüber vollgültige Zeugnisse vorlegen können, werden, bei Geneigtheit, hierdurch aufgefordert, sich um die Burgemeisterstelle unsrer Stadt zu bewerben. Gehalt 3000 Mark bei freier Wohnung und einigen andern Emolumenten. Aspiranten werden ersucht, ihre Zeugnisse einzusenden, wenn sie nicht vorziehen, sich den Unterzeichneten gleich persönlich vorzustellen.

Magistrat und Stadtverordnete zu
Woldenstein in Westpreußen.«

Die Alte war an die Chaiselongue gegangen und ließ sich darauf nieder, was sie sonst immer vermied, namentlich seit das Wertstück durch Hugos fünfwöchentliche Krankheit etwas gelitten hatte. »Jott, Thilde, is es denn möglich? Du bist doch ein und aus. Von Hexen red ich nich, denn fliegt es wieder weg. Aber hat er denn die Stelle schon? Es gibt ja doch woll so viele. Und wenn er auch ein sehr schöner Mann is und den Augenaufschlag hat, dass man gleich denkt, ›nu liest er die Sonntags-Epistel‹ — ja, ich denke mir, es gibt so viele so. Und manche sind flinker wie er und schnappen's ihm weg …«

»Das lass nur gut sein, Mutter. In Flinkigkeit soll ihm diesmal keiner über sein. Er muss noch heute weg mit 'm Nachtzug. Woldenstein liegt eine Stunde von der Bahn, und ein Omnibus wird doch wohl da sein. Um fünf ist er auf der Station und um sechs in Woldenstein in Westpreußen. Ein Gasthof ›Zum braunen Ross‹ oder irgend so was wird doch wohl da sein, ich denke mir, dem Rathaus grade gegenüber, und da kann er bis zehn noch schlafen. Denn ausschlafen muss er erst, sonst is er nich zu brauchen. Und dann frühstückt er und macht sich fein, und um Schlag zwölf tritt er an und macht seine Verbeugung. Und ich will nicht Thilde heißen, wenn sie nich gleich alle sagen: ›Natürlich, der muss es werden.‹ Und der Neid von der alten Schmädicke hilft auch noch, und den Tag nach Johanni hat sie die Karte.«

Zwölftes Kapitel

Frau Schmädicke kriegte wirklich die Anzeige, denn alles kam genauso, wie Thilde vorausgesagt hatte, und am Johannistage konnte die Hochzeit in einem ganz kleinen Saale des Englischen Hauses gefeiert werden. Pastor Hartleben, der getraut hatte, ließ sich bewegen, auch dem kleinen Festmahle beizuwohnen, und hielt eine gefühlvoll humoristische Rede, die besser war als die Traurede in der Kirche. Er saß der Braut gegenüber, zwischen Hugos Mutter und Schwester, die von Owinsk herübergekommen waren, mit noch zwei Cousinen, von denen jede mal auf Hugo gerechnet hatte. Da sie beide aber halb polnisch und sehr hübsch waren, so verschlug es nicht viel, und als die Feierlichkeit überwunden war, tranken sie Hugo zu, gaben ihm einen Muhmenkuss, der so laut klang, wie wenn man ein Baumblatt auf der hohlen Hand zerkloppt, und sagten unter liebenswürdiger Drohung gegen die Braut, »alte Liebe rostet nicht«, was alles von Thilde mit großer Seelenruhe hingenommen wurde. Hugos Vergangenheit beunruhigte sie wenig, viel konnte es nicht gewesen sein, und noch weniger beunruhigte sie die Zukunft. Außerdem war es fünfzehn Meilen von Owinsk bis Woldenstein. Beim Kaffee setzten sich beide neben Pastor Hartleben, der sich von dem katholischen Leben in Owinsk erzählen ließ, schmunzelnd zuhörte, als die katholische Geistlichkeit und zum Schluss auch der evangelische Geistliche durch die Hechelmühle der beiden hübschen Mädchen hindurchmussten, und, als er aufbrach, sich in seinem alten Dogma von der Überlegenheit der Weltkinder neu gestärkt fühlte. Es war niemand da, gegen den er sein Herz ausschütten konnte, als er aber die Treppe hinabstieg und den Portier, den er von vielen Hochzeiten her kannte, freundlich lächelnd gegrüßt hatte, sann er seinem alten Lieblingssatze von der Überlegenheit der Weltkinder nach. »Es ist ein eigen Ding mit der Frömmigkeit; es sind doch nur wenige, die sie vertragen können, und in diesem Nichts-sein- und Nichts-bedeuten-Wollen leichtsinnigen Gottvertrauns steckt eigentlich Besseres als in der Sicherheit und dem Anspruch derer, die sicher sind, für ihren Gott was getan zu haben. Diese Mädchen ... wie graziös und eigentlich wie bescheiden, und der entzückende Kerl, der Rybinski ...«

Ja, Rybinski war auch da gewesen mit einer neuen Braut, von der er behauptete, »diesmal sei es ernsthaft«.

»Wirklich?«, hatte Hugo gefragt.

»Ja! Sie ist Tragödin.«

Die Schmädicke saß neben der alten Möhring und sprach viel von dem Hochzeitsgeschenk, das sie zum Polterabend (der aber ausfiel) geschickt hatte. Es war eine rosafarbne Ampel an drei Ketten. Die Schmädicke war sehr geizig. »Ich hab es mir lange überlegt, was wohl das Beste wäre. Da musst ich dran denken, wie duster es war, als Schmädicke kam. Ich kann wohl sagen, es war ein furchtbarer Augenblick und hatt so was, wie wenn ein Verbrecher schleicht. Und Schmädicke war doch so unbescholten, wie einer nur sein kann. Und seitdem, wenn eine Hochzeit is, schenke ich so was. Zu viel Licht is auch nich gut, aber so gedämpft, da geht es.« Die alte Möhring nickte mit dem Kopf, schwieg aber, denn sie hatte sich über die Ampel geärgert.

Noch denselben Abend reiste das junge Paar ab, und zwar gleich nach Woldenstein. Weil sie aber vorhatten, die erste Nacht in Küstrin und die zweite Nacht in Bromberg zuzubringen, so nannten sie diese Fahrt doch ihre Hochzeitsreise, ja, Hugo tat sich etwas darauf zugute.

»Ich finde es nicht in der Ordnung, dass es immer Dresden und die Brühlsche Terrasse sein muss oder gar der Zwinger. In Küstrin wollen wir uns am andern Morgen das Gefängnis des Kronprinzen Friedrich ansehn und die Stelle, wo Katte hingerichtet wurde. Das scheint mir passender als der Zwinger.« Thilde war mit allem einverstanden gewesen. Küstrin war Etappe nach Woldenstein, und dass Woldenstein bald-möglichst erreicht wurde, nur darauf kam es an.

Am 26. mittags waren sie da. Sie bezogen die Wohnung, die schon der vorige Burgemeister innegehabt und die Hugos Mutter und Schwester von Owinsk aus eingerichtet hatten, teils mit einigen alten Sachen aus dem Owinsker Haus, teils mit neu gekauften Möbeln und Stoffen, die sämtlich in Woldenstein gekauft waren. »Es wird wohl teuer sein und nicht viel taugen«, hatte Thilde gesagt, »aber es bringt sich wieder ein. Wir müssen uns lieb Kind machen. Woldenstein ist jetzt die Karte, drauf wir setzen müssen.«

Am 1. Juli wurde Hugo eingeführt und eroberte sich gleich die Herzen durch eine Ansprache, die er hielt. »Er sei ein halber Landsmann und habe, von Jugend an, an der Überzeugung festgehalten, dass die Kraft des preußischen Staates in den östlichen Provinzen liege. Von daher habe die Monarchie den Namen, aus Königsberg stamme das preußische Königtum, und wenn Woldenstein auch vielleicht nicht bestimmt sei, derart in die Geschicke des Landes einzugreifen, so sei auch das Kleinste groß genug, durch Pflichterfüllung und durch Festhalten an den alten preußischen Tugenden vorbildlich zu wirken und dem Lande eine Ehre und Seiner Majestät dem Könige eine Freude zu sein.« An dieser Stelle wurde Beifall laut, denn Woldenstein wählte konservativ. Aber Hugo, der gut sah, hatte doch auch das spöttische Lächeln gesehn, mit dem eine kleine Gruppe diese patriotische Wendung begleitete, weshalb er hinzufügte: »Seiner Majestät eine Freude sein, dem Könige, der ein Hort der Verfassung ist, zu dem wir alle stehn mit Leib und Leben.«

Der Schluss der Rede hatte so gewirkt, dass die Firma Silberstein und Isenthal ein Ständchen anregte, das auch am selben Abende noch gebracht wurde. Die Konservativen schlossen sich aus, aber nicht aus Demonstration gegen

Hugo, sondern nur aus Demonstration gegen die fortschrittliche Firma.

Die nächsten Tage waren etwas unruhig, Hugo hatte Besuche in [der] Stadt und auch in der Umgegend zu machen, namentlich beim Landrat, der persona gratissima war und mit dem er gleich entschlossen war sich gut zu stellen. Es war nicht ganz leicht, da das Ständchen doch höhren Orts Anstoß gegeben hatte. Thilde sagte: »Das tut nichts. Rom ist nicht an einem Tage gebaut; gut Ding will Weile.« Sie richtete zunächst ihre Aufmerksamkeit auf die Einrichtungen des Hauses und vervollständigte die Einrichtung durch allerhand kleine Einkäufe. Den dritten Tag nach ihrer Ankunft trafen auch noch einige Sachen aus Berlin ein, darunter die Ampel. Hugo war nicht abgeneigt, ihr den Ehrenplatz zu geben, der der Schmädicke vorgeschwebt hatte, Thilde sagte aber: »Da sieht sie ja keiner«, und hing sie in den Hausflur, wo sie freilich bei den hellen Sommertagen zunächst noch zu keiner Wirkung kommen konnte.

Das Beste an der Wohnung war der hübsche, ziemlich große Garten, der, nach Passierung eines schmalen Hofes mit einem Truthahn und Perlhühnern (alles vom vorigen Burgemeister übernommen), unmittelbar hinter dem Hause lag. Durch die Mitte zogen sich Buchsbaumrabatten, halben Wegs war eine Sonnenuhr, und in den Beeten, die links und rechts liefen, blühten Balsaminen und Rittersporn, überall überwachsen von riesigen Sonnenblumen, für die der Vorbesitzer eine Vorliebe gehabt haben musste.

Hier war Thilde besonders tätig, trug einen großen weißen Schnurrenhut eigner Erfindung und legte, wenn Hugo vom Rathaus kam, ihren Arm in den seinen und ließ sich, während sie mit ihm auf und ab schritt, von den Sitzungen erzählen.

»Ich bin mitunter in Verlegenheit«, sagte er. »Sie haben ein Vertrauen zu meiner Rechtskunde, und ich soll immer am Schnürchen wissen, was da zu tun sei und was rechtens sei.

Natürlich sag ich immer: es läge sehr schwer, es sei ein komplizierter Fall, der je nachdem höchstwahrscheinlich so oder so entschieden werden müsse, dabei schlägt mir aber das Herz, denn alles, was ich da sage, kann auch Unsinn sein.«

»Du fängst es nicht richtig an, Hugo. Was heißt Rechtsfragen? Rechtsfragen, das ist für Winkelkonsulenten. Und wenn es was Ordentliches ist, dann musst du sagen, da wollen wir Justizrat Noack fragen; ich halte den für einen scharfen Kopf ...«

»Ja, Thilde ...«

»Für einen scharfen Kopf. Und wenn du das sagst, so legt dir das keiner zum Schlimmen aus, und den Justizrat hast du nu schon sicher auf deiner Seite. Der sagt dann: ›Ihr Herren, da habt ihr endlich mal einen richtigen Burgemeister, einen klugen, verständigen Mann. In der Regel wollen sie alles selber wissen. Das ist Pfuscherei, das ist, wie wenn die Apotheker die Kranken kurieren wollen. Dazu gehört noch mehr. Ein Burgemeister ist ein Verwaltungsbeamter, ein kleiner Regente, kein Rechtsprecher, und das kann ich euch sagen, der versteht zu regieren, er ist ein Administrationstalent, er hält auf Ordnung, und er hat Ideen.‹«

»Ja, Thilde ...«

»Und hat Ideen, sag ich.«

»Ja, das sagst du oder lässt es deinen Justizrat sagen. Aber wer hat Ideen? Ideen, das ist nicht so leicht.«

»Ganz leicht.«

»Ach, Thilde, das ist ja Torheit. Ideen ...«

»Ideen hat jeder, der sie haben will. Du bist bloß zu ängstlich, du hast kein Zutraun zu dir, du denkst immer, die andern sind wunder wie klug und verstehen alles besser. Wenn man Burgemeister ist, dann muss man so was aufgeben ...«

»Ja, das sagst du wohl. Aber ich muss doch mit was kommen ...«

»Natürlich.«

»Ich muss doch mit was kommen und Vorschläge machen. Und was soll ich vorschlagen?«

»Alles.«

»Ach, Thilde, das ist doch Torheit. Du sagst ›alles‹, und ich weiß gar nichts.«

»Weil du die Augen nicht aufmachst und die Ohren erst recht nicht. Du bist immer wie im Traum, Hugo.«

Er lächelte.

»Sieh, da is hier der Weg zwischen der Stadt und dem großen Torfmoor. Alkitten hat mir gesagt, im Herbst, wenn es regnet, ist gar nich durchzukommen, und wer seinen Torf bis dahin nicht eingefahren hat, der mag sehn, wo er bleibt …«

»Hab ich auch gehört.«

»Ja. Aber du denkst dir nichts dabei. Du musst morgen den Stadtverordneten vorschlagen, dass ein Steindamm gebaut wird (es ist ja nur eine halbe Meile) oder eine Klinkerchaussee oder doch mindestens ein Knüppeldamm, dass die Wagen im Modder nicht stecken bleiben. Und dann lass ein Chausseehaus baun, es ist ja alles noch auf städtischem Grund und Boden, und der Landrat hat nicht mit dreinzureden. Und für den einen Groschen haben die Leute dann einen feinen Weg und können noch stolz sein, dass sie so was aus eigner Kraft und eignen Mitteln gebaut haben.«

»Seh ich ein; ist ein guter Vorschlag.«

»Und dann musst du wegen der Garnison anpurren. Alkitten sagt mir, dass schon lange davon die Rede war, dass aber dein Vorgänger nicht wollte, vielleicht weil er sich wegen seiner Frau fürchtete. Die soll nämlich etwas forsch gewesen sein …«

»Ja, das is richtig.«

»Nun, da siehst du's. Und die Knauserei mit dem Stallgebäude, das ist ja der pure Unsinn. Alkitten hat mir erzählt, die Stadtverordneten hätten nicht gewollt. Ja, warum nicht? weil der Anstoß fehlte. Nun, bei mir liegt es anders. Und wenn der schönste Rittmeister herkommt, du kennst doch deine Thilde.«

Hugo versicherte, dass er sich ganz überzeugt halte.

»Von ganzem Regiment kann natürlich keine Rede sein. Dazu ist Woldenstein zu sehr Nest, und Silberstein und Isenthal können es nicht rausreißen und Rebecca Silberstein auch nicht. Übrigens ist es eine hübsche Person. Aber doch nicht zum Heiraten. Und für sonst ist sie zu streng. Also nicht das ganze Regiment, für einen adligen Obersten ist auch eigentlich gar keine Wohnung hier, höchstens in unsrer ersten Etage ...«

»Thilde ...«

»Aber zwei Eskadrons, das geht. Und nun berechne dir mal, wie das wirkt. Von Brot will ich nich reden, das backen sie selber. Aber dreihundert Pferde und dreihundert Menschen. Und ein Kasino müssen sie doch auch haben. Und dann die jungen Frauen und Ball und Theater. Silberstein ist gegen das Militär, aber das gibt sich. Die ganze Bäckerei und Schlächterei kommt auf einen andern Fuß, und Woldenstein hört auf, ein Nest zu sein, und wird eine Stadt, und vielleicht ziehen sie hier mal eine Division zusammen und machen ein Kavalleriemanöver, und wenn der General bei uns wohnt, so hast du den Kronenorden weg, du weißt nicht wie ...«

Hugo bückte sich, um einen Rittersporn zu pflücken und Thilden in den Gürtel zu stecken.

»Und sieh, Hugo, so musst du's anfangen. All dies kleine Zeug, was ihr da immer durchsprecht, damit zwingst du's nicht; das kann jeder. Aber immer auf dem Auskiek, immer sehen, was so dem Ganzen zugute kommt, damit zwingst du's, und das is, was ich die ›Ideen‹ genannt habe. Die Welt kann nicht jeder auf einen höhren Fleck bringen, aber Woldenstein so weit zu bringen, dass es alle Woche mal in der Zeitung steht und dass die Menschen erfahren, ›es gibt einen Ort, der heißt Woldenstein‹ — ja, Hugo, d a s ist möglich, und das ist in deine Hand gegeben ...«

»Oder in deine«, lächelte Hugo. »Aber du hast Recht, wir wollen's versuchen.«

Dreizehntes Kapitel

In dieser Weise gingen die Unterhaltungen, die Thilde mit Hugo führte, wenn dieser vom Rathaus in seine Wohnung zurückkehrte. Gegen den Herbst hin ward auch die Ampel jeden Abend herabgelassen und ein Unschlitt-Licht hineingesetzt, was so wunderbar leuchtete, dass niemand vorüberging, der nicht einen Blick hinein getan hätte. »Die Berliner haben doch einen Schick für so was.« Rebecca Silberstein drang in den Vater, auch dergleichen anzuschaffen. Er aber dagegen. »Rebecca, wenn er kommt (ich sage nicht wer), dann sollst du haben die Ampel, und nicht Rosa sollst du haben, du sollst sie haben in Rubin und sollst haben, wenn du schläfst, einen himmlischen Glanz.«

Rebecca war unzufrieden über dies Hinausschieben, aber sie war beinah die einzig Unzufriedne in der Stadt, alle andren freuten sich über ihr neues Stadtoberhaupt, und Silberstein, der viel las und immer sehr gebildet sprach, sagte: »Er hat die Iniative. Das Initative hat jeder, aber die Iniative, das ist es, was den höhren Menschen von dem niedren unterscheidet.«

Isenthal, der immer widersprach, widersprach auch in diesem Fall. Aber Silberstein ereiferte sich heftig und sagte: »Sage nichts, Isenthal, oder du tust ein Unrecht und bringst es auf deinen Kopf. Ist er nicht wie Nathan? Ist er nicht der Mann, der die drei Ringe hat? Ist er nicht gerecht und sieht doch aus wie ein Apostel? Und seine Frau Gemahlin, eine sehr gebildete Frau, hat gesprochen von der Dreieinigkeit, und der Papst in Rom und Luther und Moses, die müssten aufgehn in e i n e m. Und dies sei Preußen. Und sie sei gesegnet wegen der Einheit. Das hat sie gesagt, und ich sage dir: Moses bleibt, Moses hat die Priorität.«

Alles ging gut. Nur der Landrat verhielt sich kühl, und es war ganz ersichtlich, dass er weder von der »Iniative«, die sein eignes Licht in den Schatten stellte, sonderlich erbaut war noch von Hugos Nathanschaft und seiner Gleichberechtigung der drei Konfessionen. Es kamen Begegnungen vor, in denen Hugo »geschnitten« wurde, besonders auch von der Frau Landrätin, die Tänzerin erst in Agram und dann in Wien gewesen war und sich die Festigung des christlich Germanischen zur Lebensaufgabe gestellt hatte.

Hugo war mehr als einmal in bittre Verlegenheit geraten und hatte sich auf seinen Spaziergängen im Garten, die bis in den Spätherbst hinein fortgesetzt wurden, mehr als einmal gegen Thilde darüber ausgesprochen.

»Du verstehst es nicht«, sagte Thilde und nahm eine Beurré grise vom Baum. »Sieh, Hugo, die Beurré grise ist noch hart, und du musst sie vier Wochen auf Stroh legen, eh sie schmeckt. Aber noch eh die vier Wochen um sind, hab ich dir den Landrat weich gemacht. Er ist ein sehr guter Herr und eigentlich liebenswürdig von Natur, und das müsste nicht mit rechten Dingen zugehn, wenn d e r nicht zu bekehren wäre. Wer eine Tänzerin heiratet, hat immer ein weiches Herz.«

Hugo seufzte, denn er litt unter der Gegnerschaft und sah kein Ende davon. Aber er hatte Thilden unterschätzt, und die vier Wochen waren noch nicht um und die Birne noch nicht präsentiert, als Hugo, Ende November, von einer Kreistagssitzung heimkam und von der Liebenswürdigkeit des Landrats nicht genug erzählen konnte.

Thilde sagte kein Wort, und Hugo sah erst einigermaßen klar in der Sache, als er am selben Abend Silberstein in der Ressource traf.

»Haben Sie schon gelesen, Herr Großmann?«, sagte er zwinkernd, und als Hugo verneinte, gab er ihm die vorletzte Nummer der Königsberger Hartungschen Zeitung, die in Woldenstein am meisten gelesen wurde, und sagte: »Sehr gut geschrieben; ich möchte sagen fein. Aber es ist die Wahrheit. Er ist ein feiner Herr, der Herr Landrat.« Und dabei ließ er Hugo mit dem Zeitungsblatte allein.

Hugo schüttelte den Kopf und setzte sich in einen Stuhl neben dem Schenktisch, auf dem sechs, acht Weingläser mit Apfelsinencrème, Baumtorte und kleine Korianderkuchen standen. Er selbst hatte sich schon vorher einen Curaçao geben lassen, und während er daran nippte, las er die blau angestrichne Stelle:

»Woldenstein, 14. September.   In unsrem Kreise rührt man sich bereits für die Wahlen, ohne dass eine besonders pressante Benötigung dafür vorläge. Denn die Wahl unsres Landrats v. Schmuckern darf wohl als gesichert angesehn werden, da, soviel wir bisher erfahren konnten, seine politischen Gegner auf Aufstellung eines Gegenkandidaten verzichtet haben. Sowohl die polnisch-katholische wie die fortschrittliche Partei vereinigen sich in Würdigung der hervorragenden Charakter- und Verwaltungseigenschaften des Landrats v. S. [und halten es für ihre Pflicht], selbst auf Kosten ihrer sonstigen politischen Überzeugungen, ihrem Vertrauen gegen ihn Ausdruck zu geben. Es lässt sich hier von einem Siege der Persönlichkeit sprechen, der umso glänzender ausfällt, als das landrätliche Hauswesen eine Anziehung auf das Polentum äußert. Die feine Sitte, die dem Polentum so viel bedeutet, hat in diesem Hauswesen ihre Stätte. Diese Vorzüge sieht sich auch der Fortschritt, trotz gesellschaftlichen Draußenstehns, in der angenehmen Lage vollauf würdigen zu können, weil der vorherrschende Ton nicht nur ein Ton der Vornehmheit, sondern beinah mehr noch schönste Humanität ist. Frau v. Schm. hat einen Krippenverein [ge]gründet, zu dem auch die dritte Konfession beigesteuert hat, und die Tätigkeit dieses Vereins wird am Weihnachtsabend Freude in die Hütten der Armut tragen. Über alle großen Fragen hinaus bedarf unser Kreis vor allen Dingen einer Sekundärbahn, um endlich bequeme Verbindung mit der Weichsel zu haben, eine Sache, darin alle Parteien einig sind. Und diese Bahn uns zu sichern, ist Landrat v. Schm. geeigneter als jeder andre, da seine Beziehungen zum Hofe bekannt sind. Adel, wenn er die Zeit begreift und auf Exklusivität verzichtet, ist immer die beste Lokalvertretung.«

Hugo legte das Blatt aus der Hand und nahm einen Korianderkuchen. »Also daher. Er hält mich für den Verfasser. Natürlich, [da] in Woldenstein nur drei Menschen in Betracht kommen können: Silberstein, der katholische Lehrer und ich, und da's Silberstein und der Lehrer aus innern Gründen nicht gut sein können, so bin ich es …« Er erhob sich und sah in den Saal hinein, um noch an Silberstein eine Frage zu richten. Aber der war fort, und so brach er auch auf, um auf seine Wohnung zuzugehn. Unterwegs fiel ihm ein: Sollte vielleicht …? Aber nein, das war nicht möglich, dazu war es alles zu gewandt, zu routiniert. Und noch damit beschäftigt, trat er in sein Zimmer, wo Thilde gerade den roten Papierschleier über die Lampenglocke warf. Auf demselben Sofatisch lag auch ein Zeitungsblatt.

»Guten Abend, Thilde. Nun, was gibt es?«

»Das musst du wissen; du warst ja aus.«

»Ja, ich war in der Ressource, nur eine Viertelstunde. Der Landrat wie ein Ohrwurm. Und dann kam Silberstein und gab mir die Hartungsche Zeitung. Ein Artikel drin aus Woldenstein.«

»Ah, das is gut; ich dachte schon, er wär unter den Tisch gefallen.«

»Aber Thilde, dann ist es am Ende doch so, dann hast du den Artikel eingeschickt?«

Thilde lachte. »Ja, das mit dem Landrat, das musste anders werden, das ging nich so weiter.«

»Also wirklich — du hast ihn geschrieben?«

»Nein, geschrieben nicht eigentlich.«

»Aber wer denn?«

»Ein Unbekannter, dem ich nun zu Danke verpflichtet bin. Als wir damals das Gespräch hatten, da sah ich jeden Tag, wenn die Vossische kam, in die Wahlangelegenheiten hinein, und es sind nu wohl schon acht Tage, da fand ich das alles in einer kl[einen] Korrespondenz aus Myslowitz. Und danach hab ich es zurechtgemacht. Wenn man erst das Gestell hat, ist es ganz leicht, eine Puppe zu machen.«

Er lächelte gutmütig vor sich hin, war aber etwas verlegen. »Thilde, du solltest doch lieber so was nich tun.«

»Ich dachte, du würdest mir danken, dass ich das beglichen und deine Stellung angenehmer gemacht habe.«

»Ja, du kannst aber mal damit scheitern, es kann auch mal schiefgehn.«

»Gewiss. Alles kann mal schiefgehn, und die sich dadurch einschüchtern lassen, die sitzen still und tun gar nichts. Schiefgehn; ich würde warten, bis es so weit ist. Bis dahin aber würde ich mich freun, wenn einer für mich sorgt. Silberstein, der so schrecklich gebildet ist, spricht immer von deiner Iniative.«

»Ja. Und es ist mir mitunter sehr fatal, wenigstens wenn du dabei bist. Aber ich bitte dich, habe nicht zu viel.«

Vierzehntes Kapitel

Seit dem Artikel in der Hartungschen hatte sich Hugos Stellung in Woldenstein und Umgebung noch erheblich verbessert. Auch der katholische Lehrer war gewonnen, nachdem auf Thildens Anregung eine Gehaltszulage beantragt und bewilligt war. Thilde freute sich ihrer Errungenschaften und gab ihrer Freude auch dadurch Ausdruck, dass sie sich modisch kleidete, wobei Silberstein, der oft nach Posen und Breslau fuhr, mit Rat und Tat helfen musste. Die Ressource leitete Beziehungen ein, und ein Erscheinen im landrätlichen Hause war in hohem Maße wahrscheinlich. Es setzte sich mehr und mehr die Meinung fest, dass sie sehr klug sei und immer wisse, was in der Welt los sei. Selbst Isenthal gab zu, »sie höre das Gras wachsen«, und sagte huldigend: »Sie hat was von unsre Leut.«

Im Ganzen ließ sie sich all das aber nicht anfechten und blieb nüchtern und überlegend, und nur darin zeigte sich ein kleiner Unterschied, dass sie sich zu einer gewissen Koketterie bequemte und auf Hugo einen gewissen Frauenreiz ausüben wollte. Sie ging darin so weit, dass sie die Ampel vom Flur her in das Schlafzimmer nahm und zu Hugo bemerkte: »Draußen im Flur hat sie nun ihre Schuldigkeit getan. Schade, dass das Rosa wie gar nichts aussieht; es müsste Rubinglas sein. Man kriegt dann so rote Backen. Die gute Schmädicke! Was wohl Mutter sagen würde …«

»Ja«, sagte Hugo, »die würde sich freun über dich. Und ich habe mir's auch überlegt, ob wir sie nicht zum Fest einladen sollen.«

»Nein, Hugo, dazu haben wir's denn doch noch nicht. Und sie müsste doch Zweiter fahren oder wenigstens von Bromberg aus. Und dann, es geht auch überhaupt nicht. Wir müssen für sie sorgen, natürlich müssen wir das, denn sie is doch [eine] gute alte Frau und immer allein und bloß die Runtschen um sich her, was kein Vergnügen ist …«

»Nein«, bestätigte Hugo, dem bei dem bloßen Namen der alte Schrecken wiederkam.

»Die Runtschen und die Schmädicke, die nicht viel besser ist. Aber einladen hierher geht nicht. Wir packen ihr eine Kiste, Schinken, Eier, Butter, und legen ihr vier oder sechs Pakete Thorner Kakaschinchen bei und einen schwarzen Muff, den sie sich schon lange gewünscht hat, und Gummistiefel mit Pelz, und wenn wir das auspackt, dann freut sie sich viel mehr, als wenn wir sie hier mit in die Ressource nehmen. Und überhaupt, es geht nicht. Der Landrat kann da sein oder die gnäd'ge Frau. Und nu denke dir einen Bostontisch und Mutter mit der Landrätin zusammen. Ich glaube, Mutter kann gar nicht Boston; sie hat, seit Vaterns Tod, immer nur Patience gelegt. Nein, dazu ist mir Mutter zu schade, dass sie sie hier auslachen. Und dann, Hugo, auch unsretwegen. Wir sind doch nu, was man in Büchern und Zeitungen so die ›obren Zehntausend‹ nennt, obschon Woldenstein bloß dreitausendfünfhundert hat, und was der Adel auf dem Lande ist, das sind die Honoratioren in der Stadt. Und das sind wir. Also es geht nicht. Ich denke, wir warten, bis ein Jahr um ist, und dann nimmst du Urlaub, und dann besuchen wir Muttern und können dann auch sehn, was aus Rybinski geworden ist.«

Hugo war mit allem einverstanden. Er hatte das mit der Alten auch nur so gesagt, weil er Thilden eine Freude machen wollte. Zugleich dachte er an ein Weihnachtsgeschenk; er fand Rubinglas auch hübscher.

Die Woche zwischen Weihnacht und Neujahr verging in Saus und Braus. Der Landrat, der während der letzten vier Wochen im Reichstag gewesen war, kam zurück, und eine Festlichkeit drängte die andre. Am Weihnachtsabend war erst Aufbau für die armen Kinder aller Konfessionen, wobei Thilde, die Landrätin und Rebecca Silberstein die Leitung übernahmen, am Silvesterabend war Theateraufführung in der Ressource, wo erst »Monsieur Herkules« und dann »Das Schwert des Damokles« gespielt wurde. Hugo hätte gern mitgespielt, musste aber verzichten, weil es sich nicht passe. Silberstein gab den Buchbindermeister Kleister und erfuhr, dass sein Spiel an Döring erinnert habe. Hugo dachte den ganzen Abend über an Rybinski und beneidete das Stehen in der freien Kunst. Der Ball, der folgte, ließ aber trübe Gedanken nicht aufkommen, er eröffnete mit der Landrätin die Polonaise, der Landrat folgte mit Thilde, die die Reichstagsberichte jeden Morgen las und einen markanten Satz aus einer kurzen Rede zitierte, die der Landrat über die Simultanschulfrage gehalten hatte. »Sie interessieren sich für Politik, meine gnädigste Frau.« — »Ja, Herr Landrat. Je mehr ich die kleinen Verhältnisse fühlte, die mich umgaben, je mehr empfand ich eine Sehnsucht der Auffrischung, die nur, ich will nicht sagen das Ideal, aber doch das Höhere geben kann. Ich darf sagen, dass die Reden des Fürsten erst das aus mir gemacht haben, was ich bin. Es ist so oft von Blut und Eisen gesprochen worden. Aber von seinen Reden möchte ich für mich persönlich sagen dürfen: Eisenquelle, Stahlbad. Ich fühlte mich immer wie erfrischt.« Beim Souper, das den Tanz auf eine Stunde unterbrach, saßen sich Landrat und Burgemeister gegenüber. Als um zwei Uhr der Tanz wieder begann, rückten sie nebeneinander, und der Landrat sagte: »Burgemeister, Freund, Sie haben eine famose Frau. Kolossal beschlagen. Weiß ja Bescheid wie 'n Reporter oder eigentlich besser; die Reporter sind Maschinen und folgen bloß mit Ohr und Hand. Aber Ihre Frau, Donnerwetter, da merkt man was, Muck, Rasse, Schick. Sagen Sie, was is es für eine Geborne? Vielleicht Kolonie oder Familie, die den Adel hat fallenlassen.« Hugo nannte den Namen, und der schon stark angefisselte Landrat fuhr fort: »Hören Sie, Burgemeister, es steckt da was drin … Oder ob vielleicht die Mutter …«

Hugo sagte, »soviel er wisse …«

»Nun, ganz egal«, schloss der Landrat, »ganz egal, wo's herkommt, wenn's nur da ist … Und muss ein Bombengedächtnis haben.«

Hugo, gegen den Schluss hin, tanzte noch eine Radowa mit der Landrätin und geleitete dann beide bis an den draußen wartenden Schlitten. Er war im Frack mit weit ausgeschnittner Weste, und draußen blies ein Südoster von den Karpaten her. Als er mit Thilde eine Stunde später in seiner Wohnung ankam, war er im Fieber und hüstelte.

»Thilde, mir is nicht recht; ich möchte ein Glas Zuckerwasser.«

»Immer dasselbe. Zuckerwasser. Wer trinkt Zuckerwasser, wenn er von einem Ball nach Hause kommt. Ich werde dir eine Tasse Kaffee machen.« Und sie holte die Spirituslampe, setzte das Kesselchen auf und machte ihm eine Tasse Kaffee von drei Lot.

Er fieberte furchtbar.

Wäre das Wetter über Nacht anders geworden, so hätte das Fieber vielleicht nicht viel bedeutet. Aber der Wind ging noch mehr nach Osten rum, und an Schonung war nicht zu denken, weil allerhand Visiten zu machen und allerhand Pik- und Stuhlschlitten für den Nachmittag zu besorgen waren. Sich davon auszuschließen war umso unmöglicher, als Hugo beim Abschied um die Ehre gebeten hatte, die Landrätin auf dem Eise fahren zu dürfen. Eine kleine Eitelkeit kam hinzu, er war ein sehr guter Schlittschuhläufer und wollte sich in den Pausen als solcher zeigen. Thilde schlug ihm zum Frühstück ein Glas Portwein vor, aber sein Zustand war doch schon so, dass er auf Haferschleim drang. Er genoss auch bei Tisch nichts andres und nahm ein Schächtelchen isländische Moospastillen mit sich, als er um drei zu dem Rendezvous auf dem Eise aufbrach. Er sah sehr verändert aus, was auch Thilden nicht entging, und weil sie trotz alles Abhärtungsprinzips, nach dem sie selber lebte, nicht ohne eine gewisse Teilnahme für ihn war, so würde sie ihn vielleicht vom Eise zurückgeschickt und bei der Landrätin, die noch nicht da war, bei ihrem Eintreffen entschuldigt haben, wenn [nicht] ein alter polnischer Graf, dessen Bekanntschaft sie schon am Abend vorher gemacht, sich ihrer bemächtigt und ihr auf seinem kleinen Muschelschlitten, mit zwei Scheckenponies davor, einen Platz angeboten hätte. Sie musste das annehmen, denn er war der reichste und angesehenste Mann der ganzen Gegend, Original und schon über siebzig. Thildes franke, ganz uneingeschüchterte Manier hatte ihm schon auf dem Silvesterball gefallen, und er war enchantiert, als sie seine Aufforderung, den Platz im Schlitten einzunehmen, ohne weiteres annahm. Er fuhr selbst und legte seine mächtige Wolfsschur um den kleinen Schlittensitz herum und forderte Thilden auf, die Schur von rechts her zu halten, sodass sie wie in einer Pelzlaube saß. Und nun flog der Schlitten über das Eis hin, und die Glöckchen läuteten, und die weißen Decken blähten sich im Winde, während der Alte von [der]

Pritsche her seine Konversation machte: »Freut mich, meine gnädigste Frau ... Sacrebleu, man sieht doch ... große Stadt ... andre Menschen ... Ah, Berlin ... nicht preußisch ich, nicht sehr ... Aber Berlin ... O Berlin, eine merkwürrdigen Stadt, eine tollen Stadt.«

Thilde versicherte lachend, dass sie davon eigentlich wenig gemerkt habe, das Berlin, das sie kenne, sei sehr wenig toll, fast zu wenig, es passiere ja eigentlich gar nichts ...

»Ja, meine Gnädigste, das macht die Stelle, wo man steht, von der aus man sieht, ich habe gestanden immer sehr in Front, immer sehr avancé.«

»Glaub ich, Herr Graf. Ihre gesellschaftliche Stellung ...«

»O nicht das Gesellschaftliche, das vor dem großen Tor. O viele Lichter da, viele Schatten. Da hatten wir Maskenball. Kroll. Kennen Sie Kroll?«

»Gewiss, Herr Graf. Jede Berlinerin wird doch Kroll kennen.«

»Und da hatten wir Maskenball. Ich Fledermaus. Und da hatten wir Orpheum ...«

»Auch davon habe ich gehört ...«

»Aber ich habe gesehn. Eine merkwürrdige Stadt, eine tollen Stadt ohne Grimasse ...«

»Ja, das ist wahr.«

»Eine Stadt von sehr freier Bewegung ...«

»Ich glaube doch nicht überall.«

»Nein, nicht überall. Das ist wieder, wo man steht, meine gnädigste Frau. Wo ich gestanden, sehr freie Bewegung. Und keine falsche Verschämung ...«

»Aber doch vielleicht eine richtige?«

»Verschämung immer falsch, immer Grimasse. Und ich liebe die freie Bewegung.«

Ein Herzählen sämtlicher Berliner Lokale mit freier Bewegung stand in Sicht, und wer will sagen, wo Graf Goschin schließlich gelandet wäre, wenn nicht eine plötzlich quer durch das Flusseis gezogene Rinne das Weiterfahren gehindert und zur Umkehr gezwungen hätte. Wenige Minuten, und der Schwanenteich war wieder erreicht, wo sich die Woldensteiner Honoratioren in engerem Kreise bewegten, die jüngern in Nähe eines Leinwandzeltes mit einem aufgemauerten Herde, drauf eine Punsch- und Waffelbude, draus der angesäuerte Fettqualm ins Freie zog. In Front dieser Bude hielten die Schlitten, und auf einer Bank, der die eine Wand der Bude als Rückenlehne diente, saßen Hugo und die Landrätin, die eben den Pikschlitten verlassen hatte, sich hier zu erholen. [Hier hielt jetzt] der kleine Muschelschlitten des Grafen, und der Graf schlug die Schur zurück, um Thilden aus ihrem Gefängnis zu entlassen.

»Ja, meine gnädigste Frau. Es hat nicht sollen sein ...«

»Was, lieber Graf?«

»Escapade. Wollte wie Gott der Unterwelt oder Pluto ...«

»Warum nicht höher hinauf, warum nicht Jupiter?«

»Ach, ich verstehe. Wegen der Attrappe. Gnädigste Frau haben eine spitze Zunge.«

Er winkte von den Leuten, die umherstanden, einen heran und gab ihm die Zügel und hieß ihn den Schlitten seitwärts führen, an eine Stelle, wo rotes Weidengesträuch vom Ufer her auf das Eis hinabhing. Dann nahm er Hugo unterm Arm und ging, um ein Glas Punsch zu trinken, auf die Bude zu, wo wenige Schritt neben dem Herd ein zerschlissnes Sofa stand.

»Sehr erfreut, Burgemeister. Eine charmante Frau, kluge Frau, gar nicht ängstlich. Haben alles gesehn und denken immer, alles geht vorüber, und den Kopf wird es ja wohl nicht kosten.«

Hugo, halb geschmeichelt, bestätigte. Das sei so die Schule der großen Stadt.

»Ja, merkwürdige Stadt, tolle Stadt.«

Diese Worte hatten etwas Beunruhigendes selbst für Hugo, der seiner Thilde sicher zu sein glaubte. Er kam aber nicht dazu, dem lange nachzuhängen, denn ein heftiger Hustenanfall zwang ihn, sich an der Sofalehne festzuhalten. Als der Anfall vorüber war, kam der Graf mit einem Glase Punsch, »das löse«.

Hugo kam in die Verlegenheit, ablehnen zu müssen, es würde seinen Zustand verschlimmern.

»Kann nicht verschlimmern. Punsch nie.«

Als er Hugo mit seinen listigen, etwas blutunterlaufenen Augen aber ansah, kam ihm doch ein Zweifel, ob Punsch hier Allheilmittel sei, und er ging sogar hinaus und rief die noch im Gespräch mit der Landrätin auf der Bank sitzende Thilde.

»Gnädigste Frau, der Herr Gemahl. Packen wir ihn in die Schur, und der Knecht kann ihn nach Hause fahren.«

»Es ist besser, wir gehn, Herr Graf«, sagte Thilde, und Hugo führend, der traumhaft hin und her schwankte, gingen sie auf die Stadt zu.

Als sie fort waren, setzte sich der Graf neben die Landrätin und sagte: »Woldenstein kann sich nach einem neuen Burgemeister umsehn.«

Die Landrätin lachte: »Bei Ihnen draußen gedeiht das Zweite Gesicht.«

»Nein. Aber ich sehe gut.«

Fünfzehntes Kapitel

Der Arzt war über Land; erst gegen Morgen kam [er] und hatte gegen Thildes Behandlung des Kranken: Brotrinde mit Essigwasseraufguss, ein Mittel, das noch von der alten Möhring herrührte, nichts Erhebliches einzuwenden. »Es hat nichts geschadet«, sagte er, »und das ist immer schon viel.« Er verordnete dann eine Althee-Abkochung, und als Thilde fragte, »ob es was zu bedeuten habe«, lächelte er und sagte: »Einigermaßen; es ist eine Lungenentzündung. Vor allem Ruhe.«

Thilde war eine gute Krankenpflegerin und gab ihm die Medizin mit einer Genauigkeit, als ob das Leben an der Minute hinge. Sie glaubte nicht daran, aber sie wollte nichts versäumt haben. Die Vormittagsstunden vergingen unter Umwandlung des Schlafzimmers in ein Krankenzimmer; die nach dem Hof hinausgehenden Fenster wurden verhangen, während die Tür nach der Vorderstube offen blieb, nur durch eine halbe Portière geschützt. Thilde sah oft hinein, ohne dass der Kranke irgendwas verlangt hätte, dann ging sie wieder an das Vorderfenster, das, von der vorigen Frau Burgemeister her, noch einen altmodischen Tritt und einen Fensterspiegel hatte. Dieser war eigentlich überflüssig, denn es gab so wenig zu sehn, dass es auch nichts zu spiegeln gab. Mitten auf dem Marktplatze stand das Rathaus mit einer schräglaufenden hölzernen Stiege, die bis zum ersten Stock aufstieg und sich hier in einem schmalen Laubengang fortsetzte, aber alles von Holz. Dicht neben dem Rathaus standen ein paar alte Scharren, verschlossen und verschneit. An der andern Marktplatzseite war die Löwenapotheke, deren Provisor gähnte, denn seit der Mixtur für den Herrn Burgemeister war seine Tätigkeit noch nicht in Anspruch genommen worden. Daneben ein Bäckerladen mit einem schräggestellten Blechkuchen im Schaufenster und einigen bewundernd davorstehenden Kindern; die Sonne fiel so grell darauf, dass Thilde die großen Zuckerstellen erkennen konnte. Zwischen dem allem glitt ihr Auge hin und her und nahm erst eine andre Richtung, als sie, diesmal allerdings mit Hülfe des Spiegels, den Briefträger die Herzog-Kasimir-Straße heraufkommen sah. Er trat auch gleich danach ins Haus, und Thilde ging ihm entgegen, um ein paar Briefe in Empfang zu nehmen. Einer war aus Breslau, also wahrscheinlich eine Rechnung oder ein Verzeichnis, der andre eine Vermählungsanzeige Rybinski[s] (aber mit einer andern Dame) und der dritte von der alten Frau Möhring. »Frau Burgemeister Großmann, geb. Möhring. Woldenstein in Westpreußen.«

Die Buchstaben waren so steif gekritzelt wie auf einem Waschzettel. »Gott«, sagte Thilde, »wenn Mutter bloß nicht immer geborne Möhring schreiben wollte. Möhring ist doch zu wenig.« Dann ging sie bis an die Portière und horchte hinein, und als sich nichts in der Schlafstube regte, ging sie wieder bis ans Fenster und setzte sich in den kleinen schwarzen Stuhl mit drei Goldstäbchen, der hier stand. Und nun las sie.

»Meine liebe Thilde. Die Kiste kam gerade Heiligabend an, aber schon früh, und da gerade die Runtschen da war, sagte ich, nu, Runtschen, nu wollen wir sie aber auch gleich aufmachen. Und da hättest Du sehn sollen, wie geschickt sie war und wie sie jeden einzelnen Nagel rausholte, ohne Kneifzange, bloß alles mit 's Küchenmesser. Und als wir alles raus hatten, gab ich ihr eins von die Pakete, weil ich dran denken musste, dass ihr die Petermann zu vorigen Weihnachten auch ein großes Stück Steinpflaster gegeben hatte. Sie war aber noch nicht ganz zufrieden, bis ich ihr sagte: ›Na, Runtschen, wenn es so weit is, den Schinkenknochen, den kriegen Sie auch.‹ Da bedankte sie sich; ich weiß das schon von Ulrike, die sind immer so sehr nach Fleisch. Natürlich, wer soll es denn bezahlen. Und muss ich Dir doch sagen, dass ich mich sehr über alles gefreut habe, weil man doch die Liebe sieht, und dann auch, weil ich sehe, dass Du's kannst und Ihr's haben müsst. Und sieh, Thilde, das is doch die Hauptsache. Denn mit der Sparkasse, das is ja nu vorbei, weil es alles so viel gekostet hat, und wenn ich mir denke, dass es auch knapp ginge, was sollte da werden. In 'n Spittel mag ich nich. Und nu sage mir, Thilde, wie steht es eigentlich mit Dir? Ach, es macht ja bloß Angst und Sorge, und wie sie nachher einschlagen, weiß man auch nich. Besser ist besser. Und Du hast mir noch immer nicht geschrieben von wegen der Witwenkasse. Die Schmädicke meinte zwar neulich: ›sie müssten einkaufen, ob sie wollen oder nich‹, aber es wäre mir doch lieb, zu hören, dass Du ganz sicher bist. Ich bin immer so sehr fürs Sichre. Denn der Mensch denkt, und Gott lenkt, und heute rot und morgen tot. Und er war mitunter so rot, was mir nich gefallen hat, und auch die Runtschen sagte: ›Glauben Sie mir, Frau Möhring, es sitzt ihm hier.‹ Und nu grüße Deinen lieben Mann und sag ihm, ich ließ' ihm ein glückliches neues Jahr wünschen. Er verdient es, und es wird sich schon belohnen. Es is ja viel draufgegangen, aber es schadet nicht, und ich hab es alles gerne gegeben, und die Schmädicke sagte neulich: ›Aufs Kapital kommt es nich an, wenn man bloß gute Zinsen hat.‹

Deine Dich liebende Mutter
Adele Möhring, geb. Printz«

»Gott, nun auch noch ›Printz‹«, sagte Thilde. »Was sich Mutter nur eigentlich denkt. Und was sie da schreibt! Als ob sie sich geopfert und mir mit ihrem Sparkassenbuch, was doch mein war, mein Glück bereitet hätte. Nun, sie war immer so, und nach ihrer Art meint sie's gut, erst mit sich und dann mit mir. Und dann war das Gute, dass sie mir immer freie Hand gelassen hat. Eine weimrige alte Frau, aber ich habe doch mit ihr leben können. Und vielleicht muss ich wieder mit ihr leben. ›Heute rot und morgen tot.‹ Dass sie auch grade so was schreiben musste … Hugo gefällt mir nicht, und der Doktor mit seinem ›Einigermaßen‹ hat mir auch nicht gefallen. Ich möchte ihn nicht gern verlieren. Er ist so gut und hat mir eine Stellung gegeben. Denn wenn ich es auch gemacht habe, wenn er nicht da war, so ging' es nicht. Ich möchte ihn nicht gern verlieren. Aber sonderbar, alles hat doch so seine zwei Seiten, und wenn ich so den Platz und die drei Scharren sehe, jetzt kuckt sich der Provisor im Spiegel [an] und findet sich hübsch, da weiß ich doch nich, ob es nicht hübscher war, wenn ich nach der Stadtbahn rübersah und wenn Bolle durch die Straßen klingelte … Nun, Mutter hat ja auch geschrieben: ›Der Mensch denkt, und Gott lenkt‹, sie hat immer solche neuen Sätze. Aber richtig is es, und ich muss es abwarten, wie Gott lenkt.«

Hugo genas, und Ende Februar saß er im Garten in Front von einem Weinspalier, auf das eine warme Februarsonne fiel. Thilde saß neben ihm und las ihm die Zeitung vor, denn es waren die Tage, wo Bismarck ins Schwanken kam. Hugo sog jedes Wort ein und zeigte großes Interesse, ergriff aber nicht Partei, »sie werden wohl beide Recht haben«. Thilde lächelte: »Ja, Hugo, das bist ganz du. Beide Recht. Ich bin für einen.« Über den Zaun fort grüßten die Nachbarn, die sich schon in ihren Gärten zu schaffen machten, und stellten auch Fragen nach seinem Befinden, denn so kurze Zeit er in der Stadt war, so war er doch sehr beliebt, und jeder freute sich seiner Wiedergenesung. Die Landrätin kam persönlich und klagte sich an: »eigentlich sei sie schuld, er habe sich's bei Ostwind auf dem Eise geholt«, und der alte Graf schickte eine große Melone aus seinen Treibhäusern mit einem Billet voll phantastischer Verbindlichkeiten und Ratschläge. Nach Berlin hin war all die Wochen über kein Wort über die Krankheit vermeldet worden, weil Thilde dem Gejammer der Alten entgehen wollte, und auch jetzt, wo die Genesung da war, schrieb sie nichts von der zurückliegenden schweren Sorge. Vielleicht unterließ sie's auch, weil sie der Genesung misstraute, wozu, wie sich bald zeigen sollte, nur zuviel Veranlassung da war.

Eines Tages, als Hugo wieder in der Sonnenstelle saß, schlug das Wetter plötzlich ab, ein Schüttelfrost stellte sich ein, und ehe noch der Arzt es feststellen konnte, war es klar, dass ein Rückfall da war. Er nahm in rapidem Verlauf die Form einer rapide fortschreitenden Schwindsucht an, und am zweiten Ostertag abends starb er, nachdem er Thilden ans Bett gerufen und ihr für ihre Tüchtigkeit, ihre Liebe und Pflege gedankt hatte. Diese Worte waren ehrlich gemeint, denn die Bedenken einer frühen Zeit waren ganz geschwunden, und er sah in Thilde nichts als die rührige, kräftige Natur, die sein Leben bestimmt und das bisschen, was er war, durch ihre Kraft und Umsicht aus ihm gemacht hatte.

Den dritten Osterfeiertag bei niedergehnder Sonne wurd er auf dem Woldensteiner Kirchhof begraben; alles war da, der alte Graf, der alles auf den Arzt schob und dann wieder versicherte, er hab es schon am Neujahrstage gewusst, der Landrat, der, weil Osterferien waren, gerade in seinem Kreise sein konnte, viel Adel aus der Nähe und die ganze Bürgerschaft einschließlich der dritten Konfession. Auch der Provisor, der sich zufällig einen neuen Frühjahrsüberzieher hatte machen lassen, wollte nicht fehlen. Alle Bläser bliesen, der alte Graf unterhielt sich ziemlich laut, und was Woldenstein an Blumen hatte, wurde auf das Grab gelegt. Der Geistliche geleitete Thilden in ihre Wohnung, und während der alte Graf im »Herzog Kasimir« eine Flasche herben Ungar ausstach, saß Thilde auf dem Trittbrett und sah auf den immer dunkler werdenden Marktplatz, über den ein Westwind einige braune Winterblätter trieb. Dann wurden ein paar an Ketten hängende Laternen angesteckt, und im Schatten des Rathauses, da, wo die Stiege hinaufführte, stand ein Liebespaar. Sie ließen sich durch den immer heftiger werdenden Wind nicht stören, aber die Laternen bewegten [sich] und quietschten an den Ketten hin und her. Als Thilde wohl eine halbe Stunde lang auf das alles hinausgestarrt hatte, zündete sie die Lampe an und setzte sich an ihren Schreibtisch, um ein paar Zeilen an die Mutter zu schreiben.

»Liebe Mutter. Heute gegen Abend haben wir Hugo begraben. Es war sehr schön und feierlich, alle Welt erschienen, auch der Adel aus der Umgegend. Prediger Lämmel hielt die Rede. Sie wird gedruckt und wird uns dann (denn bis dahin denke ich wieder in Berlin zu sein) von hier aus zugestellt werden. Wie ich Dir gleich bemerken will, kostenfrei, auch der Druck. Denn Du wirst wohl sehr in Angst sein. Ich muss

Dich aber ernstlich bitten, mich mit dieser Angst nicht quälen zu wollen. Ich habe von hier aus für Dich gesorgt, und ich werde weiter für Dich sorgen. Du denkst immer an jämmerlich zugrunde gehn, aber solange Deine Thilde lebt, so lange wirst Du zu leben haben. Dessen sei versichert. Ich empfange noch das Gehalt bis Jahresschluss und die Witwenpension vom 1. April an. Dies wird Dir einen Stein von der Brust nehmen, und wenn Du erst weißt (und deshalb habe ich dies alles vorausgeschickt), dass Du nicht ins Spital kommen und nicht wie die alte Runtschen rein machen und einholen wirst, wirst Du vielleicht auch zuhören, wenn ich Dir sage, dass Hugo gut gestorben ist, ganz wie ein feiner Mensch, der er immer war. Denn er war aus einem sehr guten Hause, was immer die Hauptsache bleibt. Er hat mir auch noch gedankt, als ob ich wunder was wäre. Das macht, er hatte so was Edles. Und Dich hat er grüßen lassen. Dass er bloß schwächlich war, dafür konnte er nich. Wenn es nach ihm gegangen wäre, wär er stärker gewesen. Alle Leute hier haben ihn sehr geachtet, weil alle sahen, dass er sehr gut war, und selbst Silberstein, von dem ich Dir schon geschrieben, hat an seinem Grabe gesprochen. Sodass selbst Pastor Lämmel zufrieden war und ihm die Hand gab. Silberstein, Firma Silberstein und Isenthal, wird auch alles besorgen, es sind sehr reelle Leute, fortschrittlich, aber sehr reell. Und was aus dem Mobiliar herauskommt, das werden wir kriegen auf Heller und Pfennig. Ich habe noch ein paar Tage hier zu tun und Briefe zu schreiben, auch an den alten Grafen, der mir eine Stellung als Hausdame in seinem Hause angeboten hat (natürlich mit Gehalt), aber all das wird in drei oder vier Tagen beendet sein, und spätestens Sonnabend früh gedenke ich in Berlin einzutreffen. Ich schreibe aber noch eine Karte vorher, damit Du ganz sicher bist und die Runtschen zu rechter Zeit bestellen kannst. Ich bringe Dir auch ein Andenken von ihm mit, ein kleines Kreuz, vorn mit einer Perle. Die Perle hat einigen Wert. Ich freue mich, Dich wiederzusehn, so schmerzlich auch die Veranlassung ist, denn die Pension reicht nicht an das Gehalt. Ich muss Dir das sagen. Mir ist es gleichgiltig. Ich bringe mich schon durch und Dich mit.

Deine treue Tochter Thilde«

Sechzehntes Kapitel

Sonnabend früh mit dem Acht-Uhr-Zuge kam Thilde auf dem Friedrichsstraßenbahnhof an. Den kleinen Handkoffer, den sie mit sich führte, gab sie einem Gepäckträger zugleich mit ihrem Gepäckschein und wies ihn an, ihr alles in ihre Wohnung zu schaffen, drüben zu Schultzes, drei Treppen. »Ja, Fräulein.« Er verbesserte sich aber rasch, denn er kannte sie von alter Nachbarschaft her ganz gut, und versprach, in einer halben Stunde da zu sein. Als sie ging, sah er ihr einen Augenblick nach. »Was doch nich das liebe Geld alles tut; hat sich schmählich rausgemausert. Or'ntlich ein bisschen forsch und einen Krimstecher.« Während ihr diese Betrachtungen folgten, schritt sie über den Damm hin und sah auf das Haus und nach der dritten Etage hinauf. Es hatte sich nichts verändert, und doch kam ihr alles ganz anders vor. Ein eigentümliches Gefühl beschlich sie, bis sie sich sagte: »Sei froh, dass es ist, wie es ist; es könnte viel schlimmer sein. Wie war es vor zwei Jahren. Da musst ich noch alles selber tun.« Sie ging auf der rechten Seite der Straße und sah nach der dritten Etage hinauf, ob sie die Alte vielleicht am Fenster sähe. Aber sie sah nichts, auch nicht in den andern Etagen, überall waren noch die Rouleaux herunter. Es war ihr lieb, ganz unbeobachtet zu sein, aber sie war es nicht, und während sie über den Damm ging, sagte die Rätin, die vom Frühstückstisch aufgestanden war und sich ein Kuckloch zurechtgemacht hatte: »Was sitzt du wieder über der Zeitung. So was sieht man nicht alle Tage; sie hat bloß schwarze

Handschuh an und sieht aus, als reiste sie nach Dresden und Sächsische Schweiz. Regenmantel und Opernglas; fehlt bloß noch der Alpenstock.« — »Ach, du hast immer was zu reden, Luise. Wenn sie mit einer langen Trauerfahne ankäme, dann wär es auch nicht recht.«

Thilde stieg langsam die Treppen hinauf, je höher sie kam, desto langsamer, weil sie vor der Begegnung mit der Alten erschrak. Auf dem letzten Treppenabsatz stand die Runtschen und nahm ihr, weil sie nichts andres mit sich führte, wenigstens den Regenschirm ab. »Tag, Runtschen, wie geht es?« — »Gott, Frau Burgemeistern, wie soll es einem gehn«, und ehe das Gespräch sich fortsetzen konnte, war man oben, und Thilde lief auf die Mutter zu, die, halb sonntäglich zurechtgemacht, in der offnen Tür stand und gleich zu weinen anfing.

»Mutter, weine nur nich gleich. Jeder kommt ran.«

»Ja, bloß der eine zu früh und der andre zu spät. Wenn ich doch rangekommen wäre.«

Und dabei traten sie vom Flur her in das Entree und vom Entree in die Wohnstube, wo vor dem Sofa schon der Kaffee stand und Semmeln und Butter.

»Und nu komm, Thilde, nu wollen wir eine warme Tasse trinken, und erzähle mir alles, wie es war.«

»Ja, Mutter, gleich; ich möchte mir aber erst die Hände waschen, und das Haar is auch in Unordnung, ich hatte den Wind ins Gesicht und wollte nicht zumachen.« Und dabei erhob sich Thilde wieder, legte den Hut und den Krimstecher beiseit und hing den Mantel an einen Ständer im Entree. Dann kam sie wieder und sagte: »So, Mutter, nu schenk uns ein. Kalt war es. Und der Mantel hat auch nicht viel geholfen.«

»Ich dachte, du würdest ein Umschlagetuch drübernehmen. Und überhaupt. Hast du denn gar keine Trauer gehabt? Ich weiß ja, dass es hier sitzt, aber wegen der Leute. Und sie haben sich doch sehr anständig gegen dich benommen.«

»Ja, Mutter, natürlich habe ich Trauer gehabt. Silberstein hat mir alles besorgt und hatte selbst alles auf Lager. Ich war ganz schwarz und Schleier und Schnebbe, alles, wie sich's gehört, aber als ich mich für die Reise zurechtmachte, hab ich alles eingepackt, und du kannst es sehn, wenn es kommt.«

»Und unterwegs wolltest du nicht.«

»Nein, Mutter. Unterwegs nich, und ich wollte auch nich hier so ankommen. Das sieht so gefährlich aus.«

»Aber willst du's denn so liegen lassen. Es kriegt ja Flecke. Silberstein hat es doch auch nich umsonst.«

»Auftragen will ich es nicht. Die meisten glauben nich dran, und ich habe welche gesehn, die zudringlich wurden bloß wegen der Trauer. Manche machen es auch zu toll. Aber wenn ich es auch nicht auftragen will, so werde ich es doch tragen, wo sich's hingehört, wenn ich ernste Besuche mache. Denn wenn ich auch die Pension habe, so muss doch was geschehn.«

»Ach, Thilde, dass du nu davon sprichst. Ich hab es ja nicht gewollt und habe mir diese ganze Nacht gesagt: ›Sprich nich davon, Thilde mag es nich, Thilde war immer großartig, und nu is sie's erst recht.‹ Aber da du nu selber davon anfängst, sage, Kind, was soll nu werden. Denn es war ja doch eine furchtbare Krankheit.«

»Ja, Mutter, das war es. Immer die Beklemmung und die Atemnot.«

»Ach ja, Thilde, die Beklemmung. Aber ich mein nich die Beklemmung, ich mein, dass es so lange gedauert hat.«

»Ja, grad ein Vierteljahr ...«

»Und wenn in einer kleinen Stadt der Doktor auch um die Ecke wohnt, die Länge hat die Last, und zuletzt macht es doch was. Und dann die Medizin. Und grade weil es mal besser war, da müssen sie dann immer gestärkt werden. Aber es hilft meistens nich, und alles is bloß hin.«

Thilde nahm ein Stück Zucker und brach es zweimal durch und sah nun auf die vier Krümel, die da vor ihr lagen.

In den vier Krümeln hatte sie nun wieder ihr Leben, und die Mutter, die noch kein Wort von dem armen guten Mann gesprochen hatte, rechnete schon wieder, was es gekostet habe. So nüchtern sie selber war, das war ihr doch zu viel. Sie nahm der Alten Hand und sagte: »Mutter, bringe der Runtschen den Kaffee raus, sie wird wohl noch nichts Warmes genossen haben. Die Runtschen is wirklich arm. Ich will in die andre Stube gehn und mich einen Augenblick hinlegen; vielleicht schlafe ich ein, mir is doch so übernächtig.«

Sie dachte nicht an Einschlafen, sie wollte nur allein sein und einen Augenblick andre Gedanken haben. Sie schritt auf und ab. Da war das Stehpult, drauf die juristischen Bücher immer so verstaubt umherlagen, und da war der Sofatisch, auf dem hochaufgeschichtet die kleinen Bücher lagen und ein paar Bleistifte daneben, um immer gleich Notizen an den Rand schreiben zu können. Und da war das Fensterbrett, an das gelehnt sie so sonderbar sentimental ihre Verlobung gefeiert hatten, er noch halb krank und verlegen und sentimental, sie nüchtern und berechnend. »Ich habe mich ihm immer überlegen geglaubt. Es war nicht so. Wenn das ewige Nachrechnen klug ist, dann ist Mutter die klügste Frau. Von den andren, zu denen Hugo gehörte, hat man doch mehr, und ich will versuchen, dass ich ein bisschen davon wegkriege. Aber es wird mir wohl nicht viel helfen; von Natur bin ich gradeso wie Mutter, sie berechnet immer, was es kostet, und ich rechne mir den Vorteil aus. Die vier Krümel Zucker will ich mir in eine Schachtel legen und hier in das offne Sekretärfach stellen. Da hab ich es immer vor Augen und will dran lernen, dass das ganz Kleine nu wieder anfängt, und wenn Mutter weimert, will ich nicht ungeduldig werden. Ich dachte, wunder was ich aus ihm gemacht hätte, und nu finde ich, dass er mehr Einfluss auf mich gehabt hat als ich auf ihn. Rechnen werd ich wohl immer, das steckt mal drin, aber nicht zu scharf, und will hülfreich sein und für die Runtschen sorgen. Schon deshalb, weil die Runtschen seine einzige Renonce war. Und wenn er das sieht, wird er mir's danken. Aber er wird es wohl nicht sehn.«

Und dann ging sie wieder auf und ab und trat ans Fenster, und da, wo damals der Mond gestanden hatte, hing ein grau Gewölk.

Aber als ihr Auge noch drauf ruhte, rötete sich's, und die Sonne gab einen goldnen Saum. »Vielleicht ist das meine Zukunft.«

Und sie holte sich den Regenmantel aus dem Entree, deckte sich zu, verfolgte das Schattenspiel an Wand und Decke und schlief ein.

Siebzehntes Kapitel

Zu Thildens besondren Eigenschaften gehörte von Jugend auf die Gabe des Sichanpassens, des Sichhineinfindens in die jedesmal gegebene Lage. Wäre Hugo am Leben und im Amt geblieben und nach Ablauf (was nicht anzunehmen, aber doch auch nicht unmöglich) seiner Woldensteiner Amtszeit wegen bewiesener Tüchtigkeit zum Oberbürgemeister einer Provinzialhauptstadt gewählt worden, so würde seine Frau, bei Besuchen des Oberpräsidenten, ja selbst bei Kaiserparaden, die Honneurs des Hauses mit ausreichender Geschicklichkeit und jedenfalls mit vollkommener Unbefangenheit gemacht haben; jetzt, wo sie sich nach einem kurzen Erfolg auf die Stufe zurückversetzt sah, von der sie ausgegangen war, fand sie sich auch darin zurecht und nahm ihr altes Leben ohne jede längre Betrachtung und jedenfalls ohne Klage darüber wieder auf. Die Sache lag so und so, folglich musste so und so gehandelt werden. Nur nicht nutzlose Betrachtungen. Es handelte sich für sie keinen Augenblick darum, ihre Situation in irgendein Gegenteil zu verkehren, sondern nur darum, aus der Situation, wie sie nun mal war, das Beste zu machen, und dies tat sie voll Überlegung und auf ihre Weise, rücksichtsvoll und doch auch wieder entschieden. Soweit es möglich, war sie unerschöpflich in kleinen Guttaten und Aufmerksamkeiten und der Alten insoweit zu Willen, dass sie wie vordem das bloß alkovenhafte Schlafzimmer mit ihr teilte; den ganzen Tag aber [die] sich beständig über Spittel und ähnliche Dinge verbreitende Unterhaltung mit anzuhören oder Fragen zu beantworten, die sich fast immer auf ihr intimes Woldensteiner Leben bezogen, dazu war sie nicht mehr gewillt und hatte dementsprechend kategorisch erklärt, dass sie den Tag über allein sein müsse. »Das mit dem Vermieten müsse ein Ende haben.« Und so hatte sie sich »drüben« eingerichtet, und als die Alte sah, dass Thilde viel schrieb und sich unter Büchern und Karten vergrub und, wenn sie zu Tisch kam (die Runtschen musste das Essen holen), oft rote Backen vom Lernen hatte, konnte sie sich [denken], was Thilde vorhatte.

Sie konnte sich's denken und war auch nicht eigentlich dagegen. Aber wenn die Alte auch nicht eigentlich dagegen war und sich recht gut entsann, dass der Seminardirektor schon damals, eh Möhring starb, immer von ihren schönen Gaben gesprochen hatte, so ging sie doch davon aus, dass »Lehrerin« nicht recht was sei, ja dass jedes andre Unterkommen, auch wenn von etwas fraglicher Beschaffenheit, immer noch vorzuziehen sei. Bei Tage wagte sie mit solchen Betrachtungen nicht recht hervorzutreten, aber wenn sie zu Bett gegangen waren und schon eine Weile ganz ruhig gelegen hatten, erhob sich die Alte von ihrem Kissen und sagte, während von der Straße her durch die nach vorn hin offen stehende Tür ein schwacher Lichtschimmer sie traf: »Thilde, schläfst du schon?«

»Nein, Mutter. Aber beinah. Willst du noch was?«

»Nein, Thilde, wollen will ich nichts. Mir is bloß so furchtbar angst wegen deiner Lernerei. Du siehst so spack aus und hast solchen Glanz. Er hat ja doch die Schwindsucht gehabt. Und am Ende ...«

»Nu?«

»Am Ende wär es doch möglich. Und wenn es so is, is doch frische Luft immer das Beste ...«

»Gewiss, frische Luft is immer gut. Aber wo soll ich sie hernehmen? Hier is sie nich gut, und wenn es nich wegen deines Rheumatismus wäre ...«

»Nein, Thilde, so das Fenster offen, das geht nicht. Aber du könntest doch die frische Luft haben.«

»Ich? woher denn?«

»Ja, Thilde, du hast mir doch gleich in deinem ersten Brief geschrieben, ich meine in deinem ersten, als er tot war, da hast du mir geschrieben von wegen ›Hausdame‹ mit Gehalt. Und wenig kann es doch nich gewesen sein, weil er ja so reich is, wie du mir geschrieben hast. Und alt is er auch. Ja, da hättest du die schöne frische Luft gehabt und die gute Verpflegung, ich will nichts sagen, aber was wir heute hatten, hatte doch keine Kraft nich, und alt is er, und wenn du ihn ordentlich gepflegt hättest, und das hättest du gewiss, denn du hast ja Mitleid mit jedem und mit mir auch, denn du bist gut, Thilde, ja, Thilde, dann hätten wir vielleicht was. Einer, der so reich is, kann doch nich so mir nichts, dir nichts sterben, ohne was zu hinterlassen. Und vielleicht dass er noch ganz zuletzt ... War er denn katholsch?«

»Natürlich war er katholsch.«

»Na, denn ging es nicht.«

»Ach, deshalb wär es schon gegangen. Katholsch is nich schlimm. Aber was denkst du denn eigentlich? Ich will von Woldenstein nicht reden. Aber hier? Was würden hier die Leute gesagt haben. ›Die hat es eilig.‹ Und die Petermann, der alte Giftzahn, die hätte gesagt: ›Es wird wohl eine schöne Geschichte gewesen sein.‹«

»Ach, Thilde, dessentwegen muss man sein Glück nich fortstoßen. Die Leute sagen immer so was. Aber wenn man was hat, dann is es gleich. Und bloß wenn man nichts hat ...«

»Ja, Mutter. Nu wollen wir aber schlafen.«

Der Wunsch der Alten ging ganz entschieden dahin, dass sich Thilde wieder verheiraten sollte. Hugo war ein sehr hübscher Mann gewesen und aus einem sehr guten Hause. Und wenn sie damals, wo sie bloß ein armes Mädchen war, den Hugo gekriegt hatte, so konnte sie jetzt jeden heiraten, denn sie hatte ja nun einen Titel, und wenn sie mitunter ausging und war eine junge Witwe, und die Trauer stand ihr gut, und wenn sie zum Schulrat ging mit dem geteilten langen Schleier, sahen ihr die Leute nach. Und die Alte war nur unglücklich, dass sie gesagt hatte, »die Haubenschnebbe, das is zu viel. So furchtbar trauern darf ich nicht, das is anstößig.«

Ja, wieder heiraten sollte Thilde. Als die Alte aber merkte, dass Thilde dies ganz entschieden ablehnte und wirklich nur Lehrerin werden wollte, kam sie auf einen andern Plan, der geraume Zeit nach jener Unterhaltung über den alten Grafen und das mutmaßlich verscherzte Glück, auch wieder nächtlicherweile, geführt wurde. Diesmal nicht in dem sauerstoffarmen Alkoven, sondern noch in der Vorderstube, die Alte steif aufrecht auf dem Sofa, Thilde zurückgelehnt auf der Chaiselongue.

»Na, Thilde, du warst ja heute wieder da. Wann glaubst du denn, dass es so weit is?«

»Du meinst mit dem Examen und mit der Stelle. Und meinst, wann ich das erste Gehalt kriege?«

»Ja, Kind, das mein ich. Du willst immer davon nich hören. Aber es is doch was Sichres.«

»Ach, sicher is das andre auch.«

»Meinst du? Na, ich will es dir wünschen. Aber wenn es auch noch so sicher is, das mit der Schule, das is doch nu die Hauptsache. Das hast du selber immer gesagt. Und da hab ich dich nu schon lange fragen wollen, ob du nich das mit der Witwe fallenlassen und deinen Mädchennamen wieder aufnehmen willst. Es werden ja so viele mit andre Namen getauft, und bei dir is es nich mal so, da kommt das Alte bloß wieder obenauf.«

Thilde schüttelte den Kopf, ersichtlich in einiger Verstimmung. Aber die Alte, die sich, solange sie den Wiederverheiratungsplan hatte, von »Witwe« viel versprochen hatte, wollte bei veränderter Sachlage mit ihrem neuen Plane nicht nachlassen und fuhr fort: »Ich denke mir, Thilde, du musst es nu lieber so nehmen, als ob es … ja, wie heißt es doch, wenn was ganz kurze Zeit dauert und dann wieder vorbei ist …«

»Ich weiß schon, was du meinst …«

»Also so nehmen, Thilde, wie wenn es gar nicht gewesen wäre. Dass dir als Witwe was zugute getan wird, kann ich mir nich denken, und Fräulein is doch das Gewöhnliche …«

Thilde richtete sich auf, nahm ein noch von Woldenstein mitgebrachtes Luftkissen in den Rücken und sagte: »Ja, Mutter, was denkst du dir eigentlich dabei. Das is doch wie eine Defraudation, wie eine Unterschlagung, wie Lug und Trug.«

»Gott, Kind, rede doch nicht so was.«

»Ja, Mutter, das ist Ableugnung des Tatsächlichen und straffällig.«

»Gott, Gott.«

»Ich habe dir wohl öfters gesagt, wenn du so beständig anpurrtest und alles wissen wolltest, was auch nicht richtig war und immer nur davon kam, dass du gegen den armen Hugo was hattest — nun, da hab ich dir wohl mal gesagt, dass es nicht so was Besondres gewesen sei, was ich vielleicht nicht hätte sagen [sollen], denn alles, was man so sagt, wird doch bloß missverstanden. Und nun bist du geradeso wie die andern Menschen. Aber es is alles falsch, was du da denkst, und ich muss dir sagen, ich glaube beinah, dass er lieber nicht hätte heiraten sollen. Er sah so stark aus mit seinem Vollbart, aber er war nur schwach auf der Brust, und ich bin ganz sicher, es hat ihm geschadet. Und nun soll es gar nichts gewesen sein. I, das wäre ja doch schändlich und undankbar, wenn ich ihm so was in seinem Grabe nachsagen wollte. Fräulein Möhring! Was denkst du dir nur? Ich bin kein Fräulein und

112

habe meinen Stolz als Frau und Witwe, wenn ich auch kein Pfand seiner Liebe unterm Herzen trage.«

»Gott, Thilde, sage doch nicht so was.«

»Ja, so sagt man, Mutter; das ist gerade das richtige Wort. Und es ist bloß ein Zufall, dass es so ist, wie es ist …«

»Meinst du?«

»Freilich meine ich. Und mitunter denke ich, es wäre doch hübsch und auch besonders für dich, wenn du ihn einbuschen könntest. Freilich, Rechnungsrats schlafen grade unter uns, und die würden wohl raufschicken und sagen, wir sollten nicht so viel hin und her wiegen, denn die denken, drei Treppen hoch ist so gut wie gar nichts.«

»So is es, Thilde. Arme Leute …«

»… müssen sich alles versagen.«

»… Un sollen nich mal buschen. Ach, die Menschheit is zu schlecht, und ich erleb es auch nicht mehr.«

Das war kurz vor dem Examen, das Thilde glänzend bestand, viel glänzender als Hugo damals das seine. Noch an demselben Tage sagte man ihr, dass eine Stelle für sie frei sei; man freue sich, ihr dieselbe geben zu können. Am 1. Oktober trat sie ein, Berlin N, zwischen Moabit und Tegel. Sie ging mutig ans Werk, hatte frischere Farben als früher und war gekleidet wie an dem Tage, wo sie von Woldenstein wieder in Berlin eintraf. Nur ohne Krimstecher. Das seitens der Schuldeputation in sie gesetzte Vertraun hat sie gerechtfertigt.

Hinaus fährt sie jeden Morgen mit der Pferdebahn, den Weg zurück macht sie zu Fuß und kauft immer was ein für die Mutter, einen Kranzkuchen oder einen Geraniumtopf oder eine Tüte mit Prünellen. Oft auch am Oranienburger Tor eine Hasenleber, weil sie weiß, dass Hasenleber das Lieblingsgericht der Alten [ist]. Und die Alte sagt dann: »Gott, Thilde, wenn ich dich nicht hätte.«

»Lass doch, Mutter, wir haben es ja.«

»Ja, Thilde, es is schon wahr. Aber wenn es man bleibt.«

»Es wird schon.«

Von Hugo Großmann wird selten gesprochen, seine Photographie hängt aber mit einer schwarzen Schleife über der Chaiselongue, und zweimal im Jahre kriegt er nach Woldenstein hin einen Kranz. Silberstein legt ihn nieder und schreibt jedesmal ein paar freundliche Zeilen zurück. Rebecca hat sich verheiratet.

Editorische Notiz

Der Text der vorliegenden Ausgabe von Theodor Fontanes *Mathilde Möhring* folgt der von Gotthard Erler aufgrund der Handschrift vorgelegten Redaktion, die erstmals 1969 in der achtbändigen Ausgabe der Romane und Erzählungen im Aufbau-Verlag, Berlin und Weimar, und 1971 als Einzelausgabe im Aufbau-Verlag und im Carl Hanser Verlag, München, erschienen ist. Die Orthographie wurde auf der Grundlage der neuen amtlichen Rechtschreibregeln behutsam modernisiert; der originale Lautstand und grammatische Eigenheiten blieben gewahrt. Die Interpunktion folgt der Druckvorlage.

Fontane hatte 1891 und dann wieder 1896 an diesem kleinen Roman gearbeitet, das Manuskript ist von ihm freilich nicht zum Druck vorbereitet worden, sondern fand sich, der letzten Überarbeitung und Feile entbehrend, im Nachlass. 1907 bildete *Mathilde Möhring* das Hauptstück eines Bandes *Aus dem Nachlaß von Theodor Fontane*, mit dessen Herausgabe Josef Ettlinger von den Erben beauftragt und in dessen Textgestalt der Roman bislang allein bekannt, nachgedruckt und diskutiert worden war. An der Berechtigung, das »im Wesentlichen fertige Werk« zu publizieren, ist nie gezweifelt worden. Dass Ettlinger jedoch bei der von ihm vorgenommenen »leichten Nachbesserung von vorhandener stilistischer Flüchtigkeiten« und bei der »Feststellung des Textes an den ziemlich zahlreichen Stellen, wo der Dichter selbst sich zwischen mehreren von ihm niedergeschriebenen Lesarten noch nicht entschieden hatte«, weiter gegangen war, als es philologisch vertretbar ist, hat erst Gotthard Erler bei einer neuerlichen Revision der Handschrift festgestellt. Erler hat in seiner Edition nicht nur die Tilgung der Kapiteleinteilung und die »Streichung ganzer Sätze und spezifisch Fontanescher Exkurse« rückgängig gemacht, er hat auch die verfälschenden Tendenzen der Ettlingerschen Redaktion gerade an den Stellen aufgezeigt, die innerhalb der Wilhelminischen Ära geschmacklich, sozialkritisch, politisch oder religiös anstößig wirken konnten. Ein typisches Beispiel solcher verfälschenden Elimination ist die Partie von »wenn du ihn einbuschen könntest« bis »ich erleb es auch nicht mehr« vor dem Schluss des Romans. Über diese unterdrückten Textpassagen und Wortänderungen Ettlingers wie über die existierenden Varianten innerhalb des Manuskriptes und die überlieferten Kapitelschemata und Entwürfe Fontanes unterrichtet ausführlich und im Einzelnen der Anhang der erwähnten Ausgaben. Der vorliegende Druck erstrebt nur den Zweck einer Leseausgabe mit zuverlässigem Text.

Die folgenden Anmerkungen zum Text sind aus der von Gotthard Erler herausgegebenen Ausgabe des Hanser Verlages übernommen.

Anmerkungen

5,10 *vis-à-vis de rien:* (frz.) dem Nichts gegenüber.

5,17 f. *jenen à-deux-mains-Charakter:* jenen Doppelcharakter, jenes ungewisse Aussehen (bei dem man zweifelt, ob es sich um Parterre oder ersten Stock handelt).

7,1 *eine so ganz richtige Mathilde:* In Fontanes Roman *Cécile*, Kap. 13, findet sich über den Namen Mathilde folgender Dialog: »Mathilde! Wirklich. Man hört das Schlüsselbund.« – »Und sieht die Speisekammer. Jedesmal, wenn ich den Namen Mathilde rufen höre, seh ich den Quersack, darin in meiner Mutter Hause die Backpflaumen hingen. Ja, dergleichen ist mehr als Spielerei, die Namen haben eine Bedeutung.«

7,2 *grisen:* fahlen, grauen.

8,9 f. *merkte er die Absicht und wurde verstimmt:* »So fühlt man Absicht, und man ist verstimmt«; Zitat aus Goethes *Torquato Tasso* II,1, V. 969.

9,21 f. *hier will ich Hütten baun:* Redensart nach dem Neuen Testament, Mt. 17,4.

10,7 *Antimakassar:* gehäkelte Schutzdecke.

10,7 f. *der Große Kurfürst bei Fehrbellin:* In der Schlacht bei Fehrbellin (28. Juni 1675) schlugen brandenburgische Truppen unter Kurfürst Friedrich Wilhelm (genannt der Große Kurfürst) die Schweden. Bei diesem verlustreichen Sieg wurde die Mark Brandenburg von der schwedischen Besetzung befreit. Das Ereignis war ein beliebter Stoff der Malerei; unter anderen hatte ihn auch der Schlachtenmaler Wilhelm Camphausen dargestellt. Sein Bild des Großen Kurfürsten eröffnete den Band *Vaterländische Reiterbilder aus drei Jahrhunderten* (1880), zu dem Fontane die Texte geschrieben hatte.

11,27 *Muck:* (niederd.) Kraft.

11,28 *Schlappier:* Schlappschwanz.

12,25 f. *eine Jauersche:* Die berühmten Jauerschen Würstchen kamen aus Jauer (heute Jawor) an der Wütenden Neiße.

12,27 *Café Bauer:* elegantes Wiener Café Unter den Linden, gegenüber dem berühmten Café von Kranzler.

12,29 *nach den Zelten:* Schon im 18. Jahrhundert gab es im Tiergarten die Zelte, eine Gruppe von drei Speise- und Bierwirtschaften an der Spree, die in zeltförmigen Gebäuden untergebracht waren. Die Gartenlokale gehörten lange Zeit zu den beliebtesten Ausflugszielen der Berliner und wurden auch später, als der Tiergarten längst Teil der Stadt geworden war, gern besucht.

12,32 f. *seinem Pferd ein Seidel geben:* Diesen Brauch schildert Fontane ausführlich in *Frau Jenny Treibel.*

13,26 *Makart-Bouquet:* ein Strauß von getrockneten Blumen, Gräsern, Schilf und Palmenzweigen, der ein beliebter Ziergegenstand in der ›guten Stube‹ der Gründerzeit war. Benannt nach dem österreichischen Maler Hans Makart (1840–84), dessen schwülstig-pathetische Bilder dem Geschmack der Gründerjahre entsprachen.

14,8 *Pifferaro:* Die Pifferari, italienische Hirten aus den Abruzzen, zogen zur Weihnachtszeit in malerischem Aufzug nach Rom und musizierten mit Dudelsack und Schalmei (*piffera*) vor den Madonnenbildern. Auch Bezeichnung für einen Straßensänger.

18,32 f. *sein Schiller steckt voller Lesezeichen:* vgl. dazu Fontanes Gedicht *Fritz Katzfuß.*

20,10 *Käpernick:* Fritz Käpernick (gest. 1887) hatte durch seine Wett- und Dauerläufe in den achtziger Jahren Aufsehen erregt.

20,19 *Owinsk:* kleines Dorf an der Warthe.

20,24 *Wolter:* Charlotte Wolter (1834–97) wirkte seit 1862 als tragische Heldin am Wiener Burgtheater. Sie wurde als eine der bedeutendsten Schauspielerinnen ihrer Zeit verehrt.

20,32 *recte vom Repetitorium:* geradewegs vom Wiederholungskursus (zur Examensvorbereitung); scherzhafte Anspielung auf die Worte Rollers in Schillers *Räubern* (II,3): »Ich komme recta vom Galgen her.«

21,14 *Arnheim:* Geldschrank (nach der damals berühmten Berliner Tresorfirma S. J. Arnheim; seit 1833).

21,19 *Zereviskappe:* Studentenmütze, die zur Kleidung der jeweiligen Verbindung gehörte.

21,22 *Nimrod:* Jäger (nach der gleichnamigen Gestalt im Alten Testament).

21,29 f. *Inowroclaw:* Inowrocław, Stadt in der polnischen Wojewodschaft Bydgoszcz (Bromberg).

22,7 *800 Taler:* als Prüfungsgebühren.

22,31 *Chambre garnie:* (frz.) möbliertes Zimmer.

23,18 *Kroll:* 1844 von Joseph Kroll (1797–1848) am damaligen Königsplatz im Tiergarten eröffneter Vergnügungspalast mit eigenem Theater- und Konzertsaal. Aus dem Theater ging später die Kroll-Oper hervor. In seinem Reisebericht über Kopenhagen, der zuerst 1865 im *Morgenblatt für gebildete Leser* veröffentlicht wurde, schreibt Fontane: »Was nun meinen heimatlichen ›Kroll‹ angeht, so verschwindet er neben Tivoli und Alhambra schon räumlich. Kroll, ohne ihm nahetreten zu wollen, ist eigentlich ein bloßer Saal mit einigen Bäumen drum herum; das Haus ist alles, der Park ist nichts.«

23,21 *Amalie:* Amalia von Edelreich, Gestalt aus Schillers *Räubern.*
Adelheid von Runeck: Adelheid Runeck, Gestalt aus Gustav Freytags Lustspiel *Die Journalisten* (1853).

23,22 *Milford:* Gestalt aus Schillers *Kabale und Liebe.*
Eboli: Gestalt aus Schillers *Don Carlos.*

23,27 *Deichmann:* Friedrich Wilhelm Deichmann (1821–75) hatte von 1850 bis 1872 das (1848 gegründete) Friedrich-Wilhelmstädtische Theater in der Schumannstraße geleitet, das wegen seiner Operetteninszenierungen außerordentlich beliebt war. Der Theaterdirektor und Bühnenschriftsteller Adolf L'Arronge (1838–1908) erwarb 1881 das Haus und eröffnete dort 1883 das Deutsche Theater. Wenn Rybinski also *zu Deichmann* geht, meint er das Theater in der Schumannstraße, das durch Deichmanns jahrzehntelange Tätigkeit noch nach der Gründung des Deutschen Theaters fest mit dessen Namen verbunden war.

23,28 *Kraußneck:* Der Schauspieler Arthur Krausneck (1856–1941) wirkte seit 1884 in Berlin. Er spielte zunächst im Deutschen Theater, später im Berliner Theater und seit 1897 im Königlichen Schauspielhaus.

24,4f. *Garrick:* Der englische Schauspieler und Bühnendichter David Garrick (1717–79), der langjährige Direktor des Drurylane-Theaters in London und geniale Shakespeare-Interpret, gilt als eine der bedeutendsten Gestalten der europäischen Theatergeschichte.

24,13 *Dunois:* Gestalt aus Schillers *Jungfrau von Orleans.*

24,14f. *wenn du deinen Arm an die Eiche bindest:* vgl. *Die Räuber* II,3.

24,15 *wenn du den Alten:* vgl. *Die Räuber* IV,5.

24,20 *»Diese Uhr nahm ich …«:* vgl. *Die Räuber* II,3.

24,22f. *Ich habe die Schiffe hinter mir verbrannt:* soviel wie: Ich habe jede Möglichkeit ausgeschlossen, dass ich mich noch anders besinnen oder entscheiden könnte. Die Redewendung geht auf Plutarchs Schrift *Über die Tugenden der Frauen* zurück.

24,28f. *Lenau … Zola:* Fontane stellt hier den sozialkritisch-naturalistischen Romanen Émile Zolas (1840–1902) die oft elegisch-weltschmerzliche, stimmungsvolle Naturlyrik von Nikolaus Lenau (1802–50) gegenüber. Er bezieht sich dabei allerdings einseitig auf das »Schmerzrenommistische« in Lenaus Werk (vgl. *Von Zwanzig bis Dreißig*) und wird in dieser Konfrontation mit Zola der demokratisch-revolutionären Tendenz Lenaus nicht ganz gerecht.

25,4 *Ich kenne meine Pappenheimer:* »Daran erkenn ich meine Pappenheimer«; Zitat aus Schillers *Wallenstein* (*Wallensteins Tod* III,15, V. 1871).

25,11 *»Franziskaner«:* Gaststätte in der Georgenstraße, am Bahnhof Friedrichstraße.

25,20 *Philöse:* In der Studentensprache (die wenig reizvolle) Tochter der Zimmerwirtin; hier: Spießbürgerin.

25,24 f. *»Auf dem Teich ... Glanz«:* aus den *Schilfliedern* von Nikolaus Lenau.

25,32 f. *»So schreiten keine ird'schen Weiber ... Haus«:* Zitat aus Schillers Ballade *Die Kraniche des Ibykus*. Gemeint sind die Erinnyen, die griechischen Rachegöttinnen.

26,23 *Reclam-Bändchen:* Die Taschenbändchen von Reclams Universal-Bibliothek erschienen seit 1867 in dem 1828 von Anton Philipp Reclam (1807–96) in Leipzig gegründeten Verlag. Die billigen Hefte vermittelten vor allem den minderbemittelten Schichten die Bekanntschaft mit der Weltliteratur.

26,29 *»Das Leben ein Traum«:* Drama von Pedro Calderón de la Barca (1600–81).

27,20 *Leider war es Spiegelberg:* Spiegelberg ist in Schillers *Räubern* der Verräter und Intrigant.

28,35 *»Bei Philippi ...«:* Zitat aus Shakespeares *Julius Cäsar* (IV,3). Bei der antiken Stadt Philippi in Makedonien besiegten Antonius und Octavianus im Jahre 42 v. u. Z. die Republikaner unter Brutus und Cassius, die sich nach der verlorenen Schlacht selbst töteten.

29,27 *tollen:* kräuseln.

30,34 *Brönner:* damals viel benutztes Reinigungsmittel.

31,19 f. *als der große Traum kam:* Gemeint ist Karl Moors Monolog in der 5. Szene des 4. Akts. In der gleichen Szene fordert er Schweizer bei den »heiligen Locken« seines Vaters zur Rache an Franz Moor auf.

33,24 f. *Töpfers Hotel:* in der Karlstraße. Das Hotel verfügte über einen Frühstückskeller, der vor allem von Künstlern besucht wurde.

35,4 *Reprimande:* Tadel, Zurechtweisung.

36,30 *casus mortis:* (lat.) Todesfall.

37,16 *denke an Hiobben:* soviel wie: Klage nicht, hab Geduld (wie die alttestamentliche Gestalt Hiob, die Gott mit schwerem Leid heimsucht, um ihr Vertrauen auf die göttliche Gerechtigkeit zu prüfen).

40,30 *Geschichte von Zola:* Gemeint ist der Roman *Die Sünde des Abbé Mouret* (1875) aus dem zwanzigbändigen Zyklus *Die Rougon-Macquart* (1871–93), der die »Natur- und Gesellschaftsgeschichte einer Familie unter dem zweiten Kaiserreich« darstellt. Vgl. besonders 2. Buch, Kap. 4.

41,14 f. *Neugier ... der Versucher:* Anspielung auf den Apfel vom Baum der Erkenntnis, den Adam und Eva entgegen dem göttlichen Verbot essen.

43,27 *Standesamt:* Erst mit dem Reichsgesetz vom 6. Februar 1875 war in Deutschland die zivile Eheschließung vor dem Standesamt als allgemeinverbindlich eingeführt worden (konfessionsloses Eherecht).

46,16 *1849 im badischen Aufstand:* Baden, eine Hochburg der deutschen Liberalen, war in den Jahren 1848/49 eines der revolutionären Zentren. Höhepunkt der Ereignisse war der badisch-pfälzische Aufstand (Mai bis Juli 1849), mit dem die demokratischen Kräfte die Anerkennung der von der Frankfurter Nationalversammlung beschlossenen Reichsverfassung durchzusetzen versuchten. Der Großherzog und die Regierung von Baden riefen die Hilfe Preußens an, und preußische Truppen schlugen den Aufstand blutig nieder. Damit endete in Deutschland die bürgerlich-demokratische Revolution von 1848/49.

46,20 *Mannheimer:* Kaufhaus in Berlin.

46,31 f. *Verwandtschaft zu Karoline Pichler:* Wortspiel, das sich auf *picheln* (›gern trinken‹) und auf den Namen der österreichischen Schriftstellerin Karoline Pichler (1769–1843) bezieht.

47,1 *Amendement:* Abänderungsantrag, Zusatz.

47,14 f. *d'accord:* (frz.) einig.

48,31 f. *Pegasushuf ... Quelle:* Nach der griechischen Sage entstand die den Musen geweihte Quelle Hippokrene auf dem Helikon durch einen Hufschlag des Flügelrosses Pegasus.

49,2 *Mohnpielen:* Gericht aus Weißbrot, Milch und Mohn.

50,11 *zu Johanni:* Der Johannistag (24. Juni) gilt als Geburtstag von Johannes dem Täufer.

53,5 *Tempelhofer Feld:* damals noch vor der Stadt gelegenes, unbebautes Gelände; Ausflugsziel der Berliner und Übungs- sowie Paradeplatz der Garnison.

53,17 *spack:* (niederd.) dürr, mager.

56,17 *die große Chaussee:* Charlottenburger Chaussee.

56,18 f. *Rousseau-Insel ... Neuen See:* im Tiergarten.

56,28 *Diner apart:* Mittagessen im Einzelzimmer.

Hiller: vornehmes Weinrestaurant Unter den Linden.

58,28 f. *Singuhr:* Gemeint ist das Glockenspiel der von 1695 bis 1703 erbauten Parochialkirche in der Klosterstraße, das mit 37 holländischen Glocken jeweils zur halben und vollen Stunde »Üb immer Treu und Redlichkeit« spielte (nach der Melodie der Papageno-Arie »Ein Mädchen oder Weibchen« aus Mozarts *Zauberflöte* mit dem Text aus Ludwig Christoph Heinrich Höltys Gedicht *Der alte Landmann an seinen Sohn*).

62,24 f. *Bellevue:* das 1786 an der Nordseite des Tiergartens errichtete Schloss.

62,27 *Barre:* Sperre, Schranke.

63,16 *Reichshallen:* Vergnügungspalast am Dönhoffplatz.

63,30 *Moschus oder Zibet:* Geruchsstoffe, die zur Herstellung von Parfümen verwendet werden.

67,7 *»Gespenster«:* Drama (1881) von Henrik Ibsen. Fontane besprach die Aufführungen des Stückes vom 9. Januar 1887 im Berliner Residenztheater und vom 29. September 1889 in der Freien Bühne für die *Vossische Zeitung*.

68,22 *Entrefilets:* (frz.) kurze eingeschobene Meinungsäußerungen.

68,29 *Molukken:* die ›Gewürzinseln‹ im Stillen Ozean.

68,33 f. *Christenverfolgungen in China:* Die chinesischen Behörden versuchten die Tätigkeit der katholischen Missionare einzuschränken.

68,34–69,1 *Franzosen in Annam und Tonkin:* Große Teile Annams, des heutigen Vietnams, hatte Frankreich bereits 1787 an sich gebracht. Im Laufe des 19. Jahrhunderts annektierten die Franzosen weitere Teile des Landes, wobei meist Christenverfolgungen als Vorwand für das Eingreifen von Strafexpeditionen dienten. Seit 1884/85 stand Annam unter französischer ›Schutzherrschaft‹. In den siebziger und achtziger Jahren unterwarf Frankreich auch Tongking.

69,1 f. *Kriege, den die Holländer mit den Eingebornen führen:* Die besonders brutalen Kolonialmethoden der Niederländer lösten am Ende des 19. Jahrhunderts zahlreiche Aufstände der eingeborenen Bevölkerung aus. Hier ist wohl vor allem der Krieg gemeint, den Holland zwischen 1873 und 1903 gegen Atjeh, ein altes indonesisches Reich im Nordwesten der Insel Sumatra, führte und der mit der blutigen Unterwerfung des Landes endete. Vgl. auch das Gedicht *Die Balinesenfrauen auf Lombok*, in dem sich Fontane gegen die Niedermetzelung aufständischer Eingeborener wandte und das ihm heftige Angriffe in der niederländischen Presse einbrachte.

69,11 *Sembrich:* Die polnische Sängerin und Pianistin Marcella Sembrich, eigtl. Marzelina Kochánska (1858–1935), wirkte in Dresden, London und (seit 1883) in den USA. Sie wurde als eine der besten Koloratursopranistinnen der Zeit gefeiert.

69,29 *viviger:* lebhafter (umgangssprachlich eindeutschende Steigerung des französischen Adjektivs *vif*).

70,26 *Hus auf dem Konzil zu Kostnitz:* Der tschechische Reformator Jan Hus (um 1370–1415), der eine durchgreifende Reform des kirchlichen und gesellschaftlichen Lebens anstrebte, wurde 1414 unter Zusicherung freien Geleits für das Konzil von Konstanz geladen. Standhaft verweigerte er dort den Widerruf seiner ‹ketzerischen› Lehren. Das Konzil verurteilte ihn zum Tode, und Hus wurde am gleichen Tag (6. Juli 1415) auf dem Scheiterhaufen verbrannt. »Kostnitz« ist die häufig gebrauchte tschechische Form für Konstanz.

71,22 f. *in seinem dunklen Drange:* ironische Anspielung auf das *Faust*-Zitat »Ein guter Mensch, in seinem dunklen Drange, / Ist sich des rechten Weges wohl bewusst« (»Prolog im Himmel«, V. 328 f.).

71,26 *Plattiertheit:* soviel wie ›nur Fassade‹.

74,1 *Beletage:* das erste, *schöne* Stockwerk eines Hauses, das als Haupt- und Prachtgeschoss galt.

76,21 f. *Posamentierswitwe:* Witwe eines Händlers oder Fabrikanten von Kleiderbesatz aus Schnüren, Borten u. ä.

77,2 *Gimpen:* Borten, Besätze.

78,1 *Emolumente:* Vorteile, Nebenvergünstigungen eines Amtes.

79,5 *Englischen Haus:* vornehmes Restaurant des kaiserlichen »Hoftraiteurs« A. Huster in der Mohrenstraße 49. Huster betrieb auch eine Stadtküche, die fertige Speisen ins Haus lieferte. Die Berliner Hautevolee bevorzugte die Säle des Hauses bei besonders prunkvollen Festen. Unter dem Vorsitz Friedrich Spielhagens hatte hier auch die offizielle Feier zu Fontanes siebzigstem Geburtstag stattgefunden.

80,32 *Kronprinzen Friedrich … Katte:* Das gespannte Verhältnis des Kronprinzen Friedrich (des späteren preußischen Königs Friedrich II.) zu seinem Vater, Friedrich Wilhelm I., hatte sich 1729/30 so weit zugespitzt, dass der Kronprinz die Flucht nach England vorbereitete. Der Plan wurde jedoch entdeckt, und der König ließ den Leutnant Hans Hermann von Katte (1704–30), den Vertrauten und Freund des Kronprinzen, als abschreckendes Beispiel für künftige Gehorsamsverweigerung in Küstrin enthaupten. Friedrich musste von den Fenstern seines Gefängnisses aus der Hinrichtung zusehen. Vgl. *Wanderungen durch die Mark Brandenburg*, Bd. 2: *Das Oderland*, Kap. »Die Katte-Tragödie«, und Bd. 3: *Havelland*, Kap. »Wust. Das Geburtsdorf des Hans Hermann von Katte«.

81,17f. *aus Königsberg stamme das preußische Königtum:* Kurfürst Friedrich III. von Brandenburg erwarb 1701 die Königswürde für das außerhalb des Reiches gelegene Herzogtum Preußen; als Gegenleistung stellte er dem Kaiser Soldaten zur Verfügung. Friedrich krönte sich in Königsberg zum König (Friedrich I.).

82,5 *persona gratissima:* (lat.) eine sehr angesehene, in höchster Gunst stehende Persönlichkeit.

82,29 *Schnurrenhut:* kiepenförmiger Frauenhut aus Stroh oder Bast.

83,6 *Winkelkonsulenten:* Winkeladvokaten.

85,20 *Kronenorden:* Der preußische Kronenorden, 1861 gestiftet, war dem Roten Adlerorden, dem zweithöchsten preußischen Orden, im Rang gleich.

86,24 *Nathan:* vgl. die Ringparabel in Lessings *Nathan dem Weisen* III,7.

86,27 *Dreieinigkeit:* Der christliche Begriff der Dreieinigkeit Gottes als Vater, Sohn und Heiliger Geist wird hier ironisch für die Gleichberechtigung der katholischen, protestantischen und jüdischen Konfession gebraucht.

87,11f. *Beurré grise:* (frz.) graue Butterbirne.

87,28 *Ressource:* hier soviel wie Klub.

87,31 *Königsberger Hartungschen Zeitung:* eine der ältesten deutschen Zeitungen, deren Vorläufer bereits in der ersten Hälfte des 17. Jahrhunderts erschienen. 1751 kam das bislang in der Druckerei von Johann Reußner hergestellte Blatt in den Besitz des Königsberger Verlegers und Druckers Johann Heinrich Hartung (1699–1756) und hieß nun *Königlich privilegierte Preußische Staats-, Kriegs- und Friedenszeitung*. Seit 1850 führte das liberale Blatt den Titel *Königsberger Hartungsche Zeitung*.

88,28 *dritte Konfession:* die Juden.

89,34 *die Vossische:* Die *Vossische Zeitung* (1751–1934) ging aus der 1721 von J. A. Rüdiger gegründeten *Berlinischen Privilegierten*

Zeitung hervor, deren Rechte 1751 von dem Berliner Buchhändler und Verleger Christian Friedrich Voß (1722–95) erworben wurden. Seit 1824 erschien das liberale Blatt als Tageszeitung. Fontane arbeitete von 1870 bis 1889/90 als Theaterkritiker an der »Vossin«.

90,1 *Myslowitz:* Mysłowice im oberschlesischen Industriegebiet.

91,25 *Thorner Kakaschinchen:* Thorner Kathrinchen, berühmte Pfefferkuchen aus Thorn.

91,30 *Boston:* Kartenspiel.

92,18 *»Monsieur Herkules«:* viel gespielte und vor allem von Laientheatern bevorzugte Posse (1863) von Georg Belly (1836–75). Gelegentlich einer Aufführung von Alexander Bergens Schwank *Kleine Mißverständnisse* (9. März 1882) schrieb Fontane in der *Vossischen Zeitung:* »Den Abend beschloss der Schwank ›Kleine Mißverständnisse‹, worin, nach dem Vorgange von ›Monsieur Herkules‹, zwei Personen, die engagiert werden sollen, verwechselt werden. In ›Monsieur Herkules‹, das ein allerliebstes und vergleichsweis auf schwindelnder Höhe stehendes Stück ist, ist es ein Schullehrer und ein Akrobat, um die sich das Quiproquo dreht …«

92,18 f. *»Das Schwert des Damokles«:* Schwank in einem Akt (1863) von Gustav Heinrich Gans, Edler Herr von und zu Putlitz (1821–90). In diesem Stück soll der Buchbindermeister Kleister den Freier seiner Tochter abweisen, was ihm äußerst unangenehm ist. Er möchte seiner Frau gegenüber die bevorstehende Auseinandersetzung mit dem Schwert des Damokles vergleichen, aber ihm fällt der Name Damokles nicht ein. Die Familie kann ihm nicht helfen, und erst der künftige Schwiegersohn weiß den Namen und ist dem verzweifelten Alten deshalb herzlich willkommen.

92,22 *Döring:* Theodor Döring, eigtl. Häring (1803–78), seit 1845 in Berlin, war als Charakterdarsteller (vor allem in komischen Rollen) einer der volkstümlichsten Berliner Schauspieler.

92,29 f. *Simultanschulfrage:* Gemeint ist die von klerikalen und konservativen Kreisen entschieden abgelehnte Einrichtung von Schulen, in denen Kinder verschiedener Konfessionen von Lehrern verschiedener Konfession gemeinsam unterrichtet werden. Das Problem war damals Gegenstand heftiger Auseinandersetzungen, da der preußische Kultusminister Robert Graf von Zedlitz und Trützschler (1837–1914) ein Volksschulgesetz durchzubringen versuchte, das dem Einfluss der Geistlichkeit Tür und

Tor geöffnet hätte. Der Entwurf musste jedoch unter dem Protest der Öffentlichkeit zurückgezogen werden, und Zedlitz stellte sein Amt zur Verfügung (März 1892).

93,1 *Blut und Eisen:* durch Bismarck zum Schlagwort gewordene Bezeichnung für die Politik der offenen Gewalt bei der nationalen Einigung Deutschlands. Bismarck hatte in seiner Rede vom 30. September 1862 vor der Budgetkommission des preußischen Abgeordnetenhauses gesagt: »Nicht durch Reden und Majoritätsbeschlüsse werden die großen Fragen der Zeit entschieden – das ist der Fehler von 1848 und 1849 gewesen –, sondern durch Eisen und Blut.« Zum Vokabular des Eisernen Kanzlers, der mit dynastischen Kriegen die ›Revolution von oben‹ vorbereitete, gehörten auch die aus der Heilkunde übernommenen Begriffe *Eisenquelle* und *Stahlbad.*

93,13 *Kolonie:* Viele der ihres calvinistischen Glaubens wegen am Ende des 17. Jahrhunderts aus Frankreich vertriebenen Hugenotten hatten sich in Brandenburg, vor allem auch in Berlin, niedergelassen und eigene Wohnkolonien gegründet, in denen sie an den kulturellen und religiösen Traditionen ihres Heimatlandes festhielten.

93,21 *Radowa:* schneller böhmischer Tanz in der Art eines Walzers.

94,4 f. *Pik- und Stuhlschlitten:* Peekschlitten: der vom Fahrer mit einer Stange (*Peeke*) vorwärts bewegte Schlitten.

94,28 *enchantiert:* entzückt.

94,31 *Wolfsschur:* Wolfspelz, mit dem Fell nach außen getragen.

95,2 *Sacrebleu:* (frz.) Potztausend, alle Wetter.

95,11 *avancé:* (frz.) weit vorgeschoben, weit vorn.

95,13 *vor dem großen Tor:* vor dem Brandenburger Tor.

95,18 *Fledermaus:* nach Johann Strauß' (1825–99) Operette *Die Fledermaus* (1874).

95,19 *Orpheum:* beliebtes Balllokal des alten Berlin, in der alten Jakobstraße.

96,13 *Es hat nicht sollen sein:* geflügeltes Wort nach der Verserzählung *Der Trompeter von Säckingen* (1854) von Josef Victor von Scheffel (1826–86).

96,15 *Escapade:* hier soviel wie ›Entführung, Seitensprung‹.
Gott der Unterwelt: Nach der römischen Sage entführte Pluto, der Gott der Unterwelt, Proserpina und machte sie zu seiner Frau.

96,16 *warum nicht Jupiter:* Anspielung auf die zahlreichen amourösen Abenteuer des obersten römischen Gottes, der sich dabei in einen Schwan, einen Stier u. ä. zu verwandeln pflegte. Die Verwandlungsgabe zeichnete auch Wotan, eine der Hauptgottheiten der germanischen Mythologie, aus. Wotan wurde mit einem weiten Mantel bekleidet dargestellt, den Graf Goschin mit seiner Wolfsschur vergleicht (»wegen der Attrappe«).

97,28 *Althee-Abkochung:* Tee von Eibisch (Althaea officinalis), der als reizmilderndes Mittel bei Husten und Katarrhen der Atemwege verwendet wurde.

98,18 *Scharren:* Fleisch- und Brotverkaufsstände.

100,32 *Bolle:* Berliner Molkerei, die Milch und Molkereiprodukte ausfuhr. Begründer war Karl Bolle (1837–1910).

101,6 *Tage, wo Bismarck ins Schwanken kam:* Im Februar/März 1890 verschärfte sich der Konflikt zwischen Bismarck und Wilhelm II., und am 18. März wurde Bismarck entlassen.

104,16 *Krimstecher:* früher übliche, auf die Verwendung im Krimkrieg (1853–56) zurückgehende Bezeichnung für den Feldstecher.

106,3 *Schnebbe:* Witwenhaube.

107,35 *Renonce:* eigtl. ›Fehlfarbe im Kartenspiel‹; hier ›unangenehme, widerliche Person‹.

113,25 *Schuldeputation:* Schulausschuss, Schulbehörde.

113,30 *Prünellen:* entsteinte Dörrpflaumen.

Nachwort

Das Ende des Romans *Mathilde Möhring* zeichnet sich durch eine Besonderheit aus, die in Fontanes übrigen Romanen nicht auftritt und im Sinne traditionellen Erzählens auch ungewöhnlich ist: Der Bericht wechselt von der distanzierenden Rede im Präteritum überraschend zum unvermittelteren Ausdruck ins Präsens über. Diesen Wechsel strebt Fontane bereits in einer älteren Fassung des Schlusses an, allerdings in noch sehr verkürzter Form: »Sonst ging Thilde ganz in ihrem neuen Beruf auf, und das tut sie noch.« Dass der Dichter das Einmünden der Erzählung in die Gegenwart bei der überarbeiteten Fassung viel breiter ausführt, lässt auf die Bedeutung schließen, die er diesem Moment beimaß. Er gibt den im Roman dargestellten Tendenzen und Problemen den Charakter der Unabgeschlossenheit und überlässt sie einer Entwicklung, über die der Erzähler nicht mehr verfügt. Das entspricht dem Vorausblick, den der Roman als Ganzes darstellt.

Auch in diesem Werk ist Fontane der Analytiker einer Gesellschaftsschicht. Während in anderen Romanen aber die Schilderung der feudalen und bourgeoisen Kreise überwiegt, ist hier alles Interesse auf das Kleinbürgertum konzentriert. Nicht, dass Fontane dieses sonst ignoriert; in Umrissen erscheint es auch in anderen Werken. Doch entsteht es dort erst mit Hilfe seiner Gegensphäre, der bürgerlich-adligen Gesellschaft. Für Lene Nimptsch (*Irrungen Wirrungen*), für Stine und die Witwe Pittelkow ist der Bezugspunkt der adlige Partner, von dem diese Figuren sich eindrucksvoll abheben. In ihrer Funktion als kritisches Element gegenüber der Adelswelt fallen diese Frauengestalten notwendig einseitig aus und streifen in ihrer sympathischen, unverbildeten Art bisweilen das Klischee von prächtiger Volkstümlichkeit. Außer der Standesschranke, die sich bei der Unmöglichkeit einer bürgerlich-adligen Heirat zeigt, wird kein Problem dieser Schicht sichtbar. In *Mathilde Möhring* erscheinen die gehobenen Kreise nur am Rand; das Kleinbürgertum beherrscht die Szene. Um seiner selbst willen dargestellt, gewinnt es an Differenzierung, aber auch an Problematik.

Zwar geht es auch hier wieder um die Ehe zwischen gesellschaftlich ungleichen Partnern. Mathilde sieht in dieser Ehe für sich die Chance, dem tristen Dasein einer Zimmerwirtin zu entrinnen und zu Wohlhabenheit aufzusteigen. Anders aber als Lene Nimptsch, Stine und – in *Frau Jenny Treibel* – Corinna Schmidt ist ihr kein Verzicht auferlegt, sie erreicht ihr Ziel ohne Kampf gegen die bestehende Ordnung. Der Roman lebt nicht aus der Spannung zwischen sozialen Gegensätzen. Zwischen Mathilde und Hugo ist die soziale Schranke vergleichsweise niedrig. Nur einen leichten Widerstand empfindet der Bürgermeisterssohn bei dem Gedanken, seine Wirtsleute ins Theater einzuladen: »Wenn wir auch verschiedne Plätze haben, das ist doch wie gesellschaftliche Gleichstellung, und wenn ich mit der Alten über den alten Moor spreche oder sie mit mir, denn ich werde nicht anfangen, so sind wir intim. Und das geht doch nicht gut.« Aber es geht doch. Es geht in diesem Roman nicht mehr darum, das Unmenschliche der gesellschaftlichen Platzverteilung kritisch vorzuweisen, nicht mehr um die Frage: Wie können Menschen, die das Fragwürdige ihrer gesellschaftlichen Stellung eingesehen haben, in Konventionen, Halbheiten und Unwahrheit weiterleben, sondern: Welche Veränderungen bewirken die neuen, sich emanzipierenden Kräfte?

Emanzipation wird in doppeltem Sinne thematisiert. Mathilde erhebt sich aus ihrer beschränkten Lage nicht nur als Kleinbürgerin, sondern auch als Frau. Damit fasst Fontane zwei wichtige soziale Tendenzen des ausgehenden 19. Jahrhunderts in einer Erscheinung zusammen.

Entsprechend dem neuen Thema unterscheidet sich die Physiognomie der Hauptfigur von der in Fontanes anderen Romanen. Mathilde ist in jeder Hinsicht das Gegenstück zu der verspielten, mädchenhaften Effi Briest oder auch zu den kindlich unmittelbaren Mädchen der Unterschicht, die den adligen Partner durch ihre Erscheinung und ihr Wesen gewinnen. Im Mittelpunkt dieses Romans steht eine reizlose Frau. Man könnte daran erinnern, dass Fontane schon im *Schach von Wuthenow* eine Frau zur zentralen Gestalt wählt, die über keine äußeren Vorzüge verfügt, ja deren Erscheinung abstößt. Insofern dort aber die Erscheinung der Heldin fest mit ihrem Schicksal verknüpft ist und die physische Benachteiligung zu einem Problem wird, das die Heldin auch gesellschaftlich betrifft, bedeutet die Darstellung der hässlichen Frau keine Abkehr vom traditionellen Frauenbild des Romans. Mathilde dagegen fällt in der Zeichnung Fontanes weder schön noch hässlich aus; sie ist, was ihre Erscheinung betrifft, einfach nichts Besonderes, durch ihre Erscheinung wird nichts Entscheidendes motiviert. Gerade das Unscheinbare und Durchschnittliche in der Physiognomie der Heldin aber ist das Vorzeichen für den Ort, den Fontane analysiert. Er ist geprägt von dem Phänomen der ›Prosa‹. Von Mathildes Augen heißt es: »Sie hatten einen Glanz, aber einen ganz prosaischen.« Mathilde stellt »etwas Nüchternes und Prosaisches« in ihrem Verhalten fest; Fontane verzeichnet in einer Notiz als umfassendes Merkmal »ihre Prosa«.

Auf den Begriff der Prosa des Lebens soll hier in dem Sinn, den er in der Ästhetik Hegels hat, kurz hingewiesen werden wegen der konstitutiven Bedeutung für die Gattung des Romans, die Hegel ihm gibt. Er wird von Hegel als Signatur für die moderne Zeit wie folgt beschrieben: »Das Individuum, wie es in dieser Welt des Alltäglichen und der Prosa erscheint, ist deshalb nicht aus seiner eigenen Totalität tätig und nicht aus sich selbst, sondern aus anderen verständlich. Denn der einzelne Mensch steht in Abhängigkeit von äußeren Einwirkungen, Gesetzen, Staatseinrichtungen, bürgerlichen Verhältnissen, welche er vorfindet, und sich ihnen, mag er sie als sein eigenes Inneres haben oder nicht, beugen muss.« Dieser prosaische Zustand des bürgerlichen Zeitalters hat sich nach Hegel in der Gattung des Romans niedergeschlagen, die mit Cervantes' *Don Quijote* beginnt: »Hat sich nun aber die gesetzliche Ordnung in ihrer prosaischen Gestalt vollständig ausgebildet und ist sie das Übermächtige

131

geworden, so tritt die abenteuernde Selbständigkeit ritterlicher Individuen außer Verhältnis und wird, wenn sie sich noch als das Alleingültige festhalten [...] will, zu der Lächerlichkeit, in welcher uns Cervantes seinen Don Quichotte vor Augen führt.« Die Entwicklung des Romans im 18. und 19. Jahrhundert in Deutschland ist bestimmt von der Auseinandersetzung des Helden, der die Totalität seines Wesens entfalten und die Autonomie seiner Person verwirklichen will, mit der ihn umgebenden Prosa des Lebens.

Spuren dieser Auseinandersetzung zeigen sich auch in *Mathilde Möhring*: in der Gestalt Hugo Großmanns, der dem bürgerlichen Alltag zu entrinnen versucht in den Träumen vom Schauspielerleben, von der Tochter der Luft. Verhaltene Symbolik ist im Spiel, wenn er in den Roman eingeführt wird, wie er traumverloren vor einem Frauenporträt im Barockrahmen steht, das durch einen Umzug auf die Straße zwischen allerhand Hausrat gekommen ist: Die Auflösung des geordneten Haushalts ist der Boden der Illusionen, denen Hugo nachhängt. Kurz nachdem sich sein Blick von dem gepuderten Toupet und dem Dekolleté der Dame gelöst hat, begegnet er dem reizlosen Mädchen Mathilde mit dem »Blechblick«. Mathilde ist im bürgerlichen Alltag, der ihn ängstigt, zu Hause. Indem sie aus dem verbummelten Studenten einen Bürgermeister macht, richtet sie vor ihm das Leistungsprinzip auf. Sie ist das Ende der Träume nicht nur vom Theater, sondern auch von einem Frauenbild, das die Phantasie des Mannes bisher mit der Poesie ausstattete, nach der die bürgerliche Prosa verlangt. Die Frau hat sich auf die Seite der Prosa geschlagen, als deren Gegenpol der Mann sie sich eigentlich wünscht. Sie versagt ihm die Befreiung vom bürgerlichen Nützlichkeitsdenken, von der rigorosen Beschränkung auf die Karriere, die Hugo mit so viel Unbehagen erfüllt. Die drückende Erwartung »unserer regierenden Klassen« an einen Beamtensohn glossiert Fontane einmal an anderer Stelle: »Sie kommen zur rechten Zeit auf das Gymnasium und gehen zur rechten Zeit vom Gymnasium ab, sie studieren die richtige Zeit und sind mit 28¼ bis 28¾ Assessor. Ein Monat früher ist Anmaßung, ein Monat später ist Lodderei [...]. Sie heiraten immer ein wohlhabendes Mädchen und stellen bei Ministers die lebenden Bilder. Sie erhalten zu ganz bestimmter Zeit einen Adlerorden und zu noch bestimmterer Zeit den zweiten und dritten, sie sind immer in Sitzungen und sitzen immer am Webstuhl der Zeit. Im Vertrauen sagt ein jeder: Hören Sie, wär ich nicht musikalisch oder sammelte ich nicht Goethe-Briefe, so hielt ich es nicht aus.« Dass Hugos Phantasien, wenn er sich als Luftschiffer, Tierbändiger oder Vorstand eines kleinen, mit wildem Wein umrankten Bahnhofs sieht, nicht privater Natur sind, sondern als für seine Schicht typischer Ausdruck des Unbehagens an einem gesellschaftlichen Prinzip verstanden werden sollen, deutet Fontane durch eine Parallele mit Hugos Vater an: In der Truhe, die er seinen Erben hinterlässt, findet sich nicht etwa das erwartete große Vermögen, sondern da hat der Beamte, der nie auf die Jagd ging, ein Jagdkostüm à la Wallenstein verwahrt. Seit *Wilhelm Meister* ist das Theaterleben der Bereich, in den der Bürgersohn dem bürgerlichen Pragmatismus zu entkommen sucht. Anders als im Entwicklungsroman aber besteht Hugo keine Auseinandersetzung, die »Rybinski-Wege« versanden einfach, und die Bändchen von Reclams Universal-Bibliothek, der einzigen Lektüre, bei der er wirklich lebt, werden mit dem bürgerlichen Gesetzbuch vertauscht. Der »ästhetisch fühlende und mit einer latenten Dichterkraft ausgerüstete Mensch« zieht sich – man weiß nicht wohin – zurück, wirkt schon bei seiner Verlobung, »als ob er gar nich so recht da wäre«, ist dann als Bürgermeister »immer wie im Traum« und überlässt Mathilde die Führung.

Mathildes Führungsrolle erfährt eine komplexe Gestaltung, entsprechend dem vielschichtigen Vorgang, den die geschichtlich sich wandelnde Situation der Frau bedeutet. Den überkommenen Vorstellungen zufolge, denen Mathilde sich zunächst einordnet, hängt der Erfolg ihres Lebens von der Wahl des Mannes ab. Daher konzentriert sich ihre Bemühung zuallererst auf diesen Punkt. Die Durchführung ihres

Programms erinnert an die Manipulationen einer Jenny Treibel und Corinna Schmidt. Während es diesen aber darum ging, den reichen Mann listig einzufangen – wodurch es zu komödienhaften Szenen kommt –, liegt die Aufgabe für Mathilde nicht an der Oberfläche der Intrige. Sie hat eine ernst zu nehmende Leistung zu vollbringen, bei der es auf Intelligenz und Taktgefühl, psychologisches und pädagogisches Geschick ankommt. Denn sie muss den Mann, der ihr bieten kann, was sie erstrebt, erst aufbauen; dies nicht im Sinn einer Fassade, sondern einer Erziehung, die der Entwicklung von Hugos Fähigkeiten, Tatkraft und Selbstgefühl gilt. Mathilde macht nach dem Maß ihrer Menschenkenntnis und ihrer Einsicht in die gesellschaftlichen Gegebenheiten aus Hugo einen sympathischen, repräsentativen Bürgermeister und führt ihm, wo es ihm an eigenem Schwung fehlt, gleichsam mit einer Tarnkappe versehen, die Hand. Die Rechnung stimmt dennoch nicht. Die alte Möhring sagt ahnungslos einmal das Richtige: »Ach, Thilde, du rechnest immer alles aus, aber du kannst auch falsch rechnen.« Für ihren Zweck setzt Mathilde nicht nur ihre eigene Energie und Begabung ein, sondern auch einen anderen Menschen, und zwar ohne Rücksicht darauf, ob der Preis des Aufstiegs für diesen zu hoch ist. Hier werden Nüchternheit, praktische Vernünftigkeit und ungebrochene Zielstrebigkeit, die Fontane sonst als Vorzug der unteren Schichten des Großstadtbürgertums schildert, kritisch als Möglichkeit auch der Unmenschlichkeit enthüllt. Die aufgenötigte Karriere streift bedenklich eine moralische Grenze. Hugos Tod wird zwar nicht als unmittelbare Folge seiner Karriere dargestellt – physische Schwäche ist von Anfang an das Kennzeichen dieser Figur –, ergibt sich aber mit innerer Konsequenz aus ihr; er ist der poetische Hinweis auf den destruierenden Charakter gesellschaftlichen Rangstrebens.

Berechnung ist in diesem Roman nicht individueller Charakterzug, sondern gesellschaftliche Erscheinung. Fontane verfolgt sie bis zu ihrer trüben Quelle in der Beschränktheit der kleinbürgerlichen Verhältnisse, die sich im Krämergeist der alten Möhring, im Markten der alten Runtschen ums Trinkgeld niederschlägt. Fontane interessiert der Aufstieg des Kleinbürgertums in die höheren Schichten. Was wird aus dem Geist der Berechnung, den die Enge der Verhältnisse diktiert, wenn die Möglichkeiten des Kleinbürgers sich erweitern? Das Thema wird auf der ersten Seite angeschlagen: »Wirt war Rechnungsrat Schultze, der in der Gründerzeit mit dreihundert Talern spekuliert und in zwei Jahren ein Vermögen erworben hatte.« Das ist mehr als ein realistisches Detail, es ist der gesellschaftliche Grundriss des Romans: der Boden der Spekulation. Wird Mathilde eine Frau Rechnungsrätin, deren einzige Perspektive das Guckloch im Fenster mit Blick auf den eigenen Hauseingang ist, oder eine Kommerzienrätin Treibel, die, nachdem sie das Geld geheiratet hat, das Unschöne ihrer Spekulation sich und anderen unter einem Wust von Pseudobildung und Gerede vom Höheren vertuscht? Mathilde wird keine Bourgeoise. Doch bleibt auch an ihrem Aufstieg etwas Fragwürdiges. Das geht aus ihrem Scheitern hervor, mehr noch aus ihrer Korrektur.

Aufgrund des gesellschaftlichen Ranges, den sie erworben hat, bietet sich ihr als Witwe eine Stelle in adligem Hause mit der Aussicht auf eine reiche Heirat und baldige Erbschaft. Aber nicht noch einmal setzt sie auf den Mann, sondern treibt die Entwicklung der eigenen Fähigkeiten voran. Dass Fontane seine Heldin den Weg einer Berufsausbildung gehen lässt, zeigt den Roman auf der Höhe seiner Zeit. Zwischen 1882 und 1895 war die Zahl der beruflich tätigen Frauen von 4,26 auf 5,26 Millionen gestiegen (ihr Anteil an der gesamten weiblichen Bevölkerung lag zwischen 15 und 20 %), ohne dass diesem Ansteigen durch die Bildungseinrichtungen für Mädchen Rechnung getragen wurde. Die einzige Berufsausbildungsstätte für Mädchen war das Lehrerinnenseminar, das noch als Oberklasse an höhere Mädchenschulen angeschlossen war und von privater und städtischer, nicht aber staatlicher Seite getragen wurde. Aus diesen Umständen erklärt es sich, dass die Frauenbewegung in ihrem ersten Stadium vorwiegend den Charakter einer Bildungsbewegung trug und Lehrerinnen ihre entschiedensten Vertreterinnen waren. In keiner anderen Stadt Deutschlands wurde die Auseinandersetzung um die Frauenbildung so heftig geführt wie in Berlin. Hatte 1884 Paul Lagarde in seinem Programm für die konservative Partei die Frauen Preußens für außerstande erklärt, Unterricht zu halten (außer in einigen Elementarfächern), so forderte drei Jahre später eine Gruppe Berliner Frauen in einer Petition eine stärkere Beteiligung von Frauen am Unterricht in den Mittel- und Oberstufen der höheren Mädchenschulen sowie öffentliche Einrichtungen zur Ausbildung von wissenschaftlichen Lehrerinnen für diesen Unterricht; über diese Petition wurde nicht beraten. Schritt für Schritt eroberten sich in den neunziger Jahren die Berliner Lehrerinnen das Terrain: Von Helene Lange, die als Autodidaktin in Berlin das Lehrerinnenexamen abgelegt hatte, wurden 1889 Realkurse für Frauen eingerichtet, die 1893 in (immer noch private) Gymnasialkurse umgewandelt wurden und der Vorbereitung aufs Universitätsstudium dienten, sie brachten drei Jahre später die ersten Abiturientinnen hervor. – Ist Mathilde auch keine Frauenrechtlerin, so ist ihr Weg doch auf dem Hintergrund der eben skizzierten Tatsachen zu sehen, die bei der zeitgenössischen Rezeption zumindest mitschwangen.

Dass Mathilde im eigenen Beruf schließlich den gesellschaftlichen Ausdruck für das findet, was sie von Anfang an war, die auf sich gestellte Persönlichkeit, lässt auf eine Erkenntnis schließen, durch die sie sich wirklich – nicht nur scheinbar wie die Bourgeoise – aus der Enge ihrer Herkunft befreit. Die Enge des eigenen Denkens wird ihr bewusst (»Ich rechne mir den Vorteil aus«): kritisch richtet sie den erzieherischen Impuls, der Hugo gegolten hatte, nun auf sich selbst. Es hätte in seiner Konsequenz etwas Beklemmendes, dass die Lehrerin Hugos nach seinem Tod den Beruf der Lehrerin ergreift, wenn nicht diese umwandelnde Erkenntnis eingeschaltet wäre. Das Lernen der Lehrerin ist das überzeugende Schlusswort des Romans.

Der Schwerpunkt der Darstellung liegt nicht auf dem Hergang der Begebenheiten, sondern auf deren Reflexion im Medium des Gesprächs, zu der die jeweilige Begebenheit den Anlass gibt. In den Romanen der guten Gesellschaft hat es den einheitlich stilisierten Ton geistreicher Gesellschaft, in den der Erzähler bisweilen selbst verfällt. Die weit sich verzweigende Plauderei greift auf die berichtenden Partien über und gibt ihnen die Konvention mit Lässigkeit verbindende Sprache. Mit Recht behauptet Fontane: »Im Ganzen wird man mir lassen müssen, dass ich von Natur aus die Kunst verstehe, meine Personen in der ihnen zuständigen Sprache reden zu lassen.« Die Sprache des Salons ist in *Mathilde Möhring* nicht zuständig. Es ist hier der kurze, direkt auf Situationen bezogene Dialog, unterschieden von der Immaterialität des gesellschaftlichen Gesprächs durch seine Konkretheit.

Die Funktionen, die die Gespräche erfüllen, reichen vom Durchsprechen der Situation im familiären Dialog zwischen Mutter und Tochter, der das ganze Buch über durchgehalten wird als ständiger Reflex der Ereignisse, über das strategisch anberaumte Gespräch, durch das Mathilde auf Hugo einwirkt und das die Handlung voranbringt, bis zu den zahlreichen, oft nur kurz glossierenden Meinungsäußerungen der Umgebung, die der Einbettung in den sozialen Rahmen dienen, und schließlich bis zu der Andeutung von gebildeter Konversation im Woldensteiner Kreis. Von einem einheitlichen Gesprächsstil lässt sich hier nicht sprechen, vielmehr von verschiedenen Ebenen.

Von der größten Konkretheit sind die Äußerungen der alten Möhring; mit einem unbeholfenen Satz wie »Kochend Wasser is immer« trifft Fontane ihren Lebens- und Denkkreis bis auf die Nuance genau. Im Zusammenhang des Gesprächs überbieten solche Sätze einander an Unscheinbarkeit und intensivieren den grauen Ton, auf den das Ganze gestimmt ist. Mathilde begnügt sich nicht mit dem beschränkten sprachlichen Inventar ihrer Umwelt. In dem Maß, in dem sie aus ihr herausstrebt, legt sie sich eine ›gebildete‹ Diktion zu, die ihr aber äußerlich bleibt und deren Angemessenheit sie fortlaufend reflektiert. Sie ›operiert‹ mit Ausdrücken einer gehobenen Sprachebene und bezieht immer Erwägungen über das Zutreffende mit in ihren Gebrauch ein. Ihre Versuche, mit dem konventionellen Gemeinplatz zurechtzukommen, haben einen Anflug von Komik: »Ich bin kein Fräulein und habe meinen Stolz als Frau und Witwe, wenn ich auch kein Pfand seiner Liebe unterm Herzen trage.‹ – ›Gott, Thilde, sage doch nich so was.‹ – ›Ja, so sagt man, Mutter; das ist gerade das richtige Wort.‹« Komik entsteht weniger auf Kosten Mathildes als auf Kosten der gebildeten Diktion, zu der sie sich aufschwingt und die bei dem Zusammentreffen mit der konkreten Sprachebene schlecht abschneidet. Die vielen metasprachlichen Wendungen zeigen Mathilde auf der Suche nach der für sie zuständigen Sprache. Gerade die Sprachmischung aber ist für Mathilde zuständig, da sie dem Übergänglichen ihrer Situation entspricht.

Die Bedeutung, die der Sprache im Zustand der ungefestigten Rollen sowohl Mathildes als auch Hugos zukommt, drückt sich auch aus in dem Rekurs der Figuren auf isolierte Aussprüche, die sich ihnen gelegentlich eingeprägt haben und denen sie sich als flüchtigen Orientierungshilfen im Labyrinth der Wirklichkeit anvertrauen, weil man sich an etwas halten muss, und ein kleines Agglomerat von Sätzen vagen Inhalts aus der Sphäre des ›man‹. Noch vor Mathildes eigenem Auftreten werden die drei Sätze referiert, auf die sie ihr Leben gestellt hat, des Vaters »Halte dich propper«, des Kegelspielers »Sie hat ein Gemmengesicht« und den »gebildeten Satz« von der »Reinheit der Linie«. Auch Hugo lässt sich in unsicherer Situation von Vorformuliertem lenken. Das Wort »Herzensbildung«, das der Arzt fallenlässt, löst bei ihm eine Kette fertiger Prägungen aus: »Ich möchte sagen, ein echtes deutsches Mädchen, charaktervoll, ein Wesen, das jeden glücklich machen muss, und von einer großen Innerlichkeit, geistig und moralisch. Ein Juwel.« Die Zuflucht zum Klischee, wenn man die Dinge nicht recht stimmen, lässt Ironie entstehen, eine freundliche Ironie, denn den Figuren sind ihre Selbsttäuschungen durchschaubar; sie werden entscheidend nicht durch den fadenscheinigen Sprachgebrauch charakterisiert, sondern durch die Nüchternheit und Aufrichtigkeit ihrer Beziehungen, unbequemer Beziehungen.

Im Ganzen stellt der Roman den Versuch dar, das Ende eines überkommenen Rollenspiels zu konstatieren und den Prozess der Neuorientierung im Moment seiner Entstehung zu beschreiben. Dieses Werk führte bis in jüngste Zeit ein Schattendasein. Die geringe Beachtung, die ihm zuteil wurde, mag in seiner Sonderstellung gegenüber den ›typischen‹ Fontane-Romanen begründet sein, denen es sich nicht ohne weiteres einfügt, oder sie mag ihren Grund in den Vermutungen haben, die sich an den fragmentarischen Charakter des Werkes knüpften: Fontane habe die Darstellung des Kleinbürgertums letztlich doch nicht gelegen, er sei vor der Konsequenz seiner Frauengestalt zurückgeschreckt. Solche Schwierigkeiten, dem Autor zugeschrieben, weisen eher auf Schwierigkeiten der Rezeption hin, die dann auch seltsame Folgen für das Werk hatten. Es wurde vom ersten Herausgeber einer Bearbeitung unterzogen, die sein kritisches Potential entschärfte. Nachdem die frühere Verlegenheit einem neuen Interesse für das Werk und seinen emanzipatorischen Problemgehalt gewichen ist, kommt mit der Wiederherstellung des authentischen Textes eine Fassung zutage, die der Glättung entbehrt – z. B. was den herben Charakter Mathildes betrifft – und die der Thematik ihre ursprüngliche Zuspitzung zurückgibt. Das sei an einem der vielen bisher unterdrückten Details erläutert. In dem Schlusssatz »Rebecca hat sich verheiratet«, der bisher fehlte und der durch die Erwähnung der peripheren Figur nichts mehr mit Mathilde zu tun zu haben und schon außerhalb der Erzählung, also überzählig zu sein scheint, kristallisiert sich auf ganz beiläufige, lapidare Art, indem gerade das Entlegenste kontrapunktisch berührt wird, noch einmal das Kernstück der Erzählung: Mathilde macht es anders.

Maria Lypp

Inhalt

Romane der deutschen Literatur

IN RECLAMS UNIVERSAL-BIBLIOTHEK

Jean Paul, Leben des Quintus Fixlein. 328 S. UB 164 – Siebenkäs. 800 S. UB 274

La Roche, Geschichte des Fräuleins von Sternheim. 416 S. UB 7934

Ludwig, Zwischen Himmel und Erde. 219 S. UB 3494

Meyer, Jürg Jenatsch. 288 S. UB 6964

Moritz, Andreas Hartknopf. 284 S. UB 18120 – Anton Reiser. 568 S. UB 4813

Novalis, Heinrich von Ofterdingen. 255 S. UB 8939

Raabe, Die Akten des Vogelsangs. 240 S. UB 7580 – Altershausen. 157 S. UB 7725 – Die Chronik der Sperlingsgasse. 223 S. UB 7726 – Das Odfeld. 291 S. UB 9845 – Pfisters Mühle. 253 S. UB 9988 – Stopfkuchen. 247 S. UB 9393

Reuter, Schelmuffsky. 207 S. UB 4343

Rosegger, Als ich noch der Waldbauernbub war. 314 S. UB 8563

Schlegel, D., Florentin. 119 S. UB 8707

Schlegel, F., Lucinde. 119 S. UB 320

Schnabel, Insel Felsenburg. 607 S. UB 8419

Stifter, Die Mappe meines Urgroßvaters. 323 S. UB 7963

Tieck, Franz Sternbalds Wanderungen. 584 S. 16 Taf. UB 8715 – Der Hexensabbat. 336 S. UB 8478 – William Lovell. 744 S. UB 8328

Wieland, Geschichte der Abderiten. 400 S. UB 331 – Geschichte des Agathon. 687 S. UB 9933

Philipp Reclam jun. Stuttgart

Theodor Fontane

IN RECLAMS UNIVERSAL-BIBLIOTHEK

Cécile. Roman. 277 S. UB 7791

Effi Briest. Roman. 349 S. UB 6961. Auch gebunden – dazu *Erläuterungen und Dokumente.* 168 S. UB 8119

Frau Jenny Treibel. 225 S. UB 7635 – dazu *Erläuterungen und Dokumente.* 111 S. UB 8132

Gedichte. 213 S. UB 6956

Graf Petöfy. 247 S. UB 8606

Grete Minde. Nach einer altmärkischen Chronik. 111 S. UB 7603

Irrungen, Wirrungen. Roman. 184 S. UB 8971 – dazu *Erläuterungen und Dokumente.* 148 S. UB 8146

L'Adultera. Novelle. 184 S. UB 7921

Mathilde Möhring. 141 S. UB 9487

Meine Kinderjahre. Autobiographischer Roman. 272 S. 11 Abb. UB 8290

Die Poggenpuhls. Roman. 126 S. UB 8327

Schach von Wuthenow. Erzählung. 168 S. UB 7688 – dazu *Erläuterungen und Dokumente.* 155 S. UB 8152

Der Stechlin. Roman. 485 S. UB 9910

Stine. Roman. 124 S. UB 7693

Unterm Birnbaum. Roman. 136 S. UB 8577

Unwiederbringlich. Roman. 309 S. UB 9320

Fontane-Brevier. Reclam Lesebuch. 333 S. 22 Abb. Gebunden

»Alles kommt auf die Beleuchtung an«. Fontane zum Vergnügen. 179 S. 7 Abb. UB 9317

Philipp Reclam jun. Stuttgart